DEUTSCH ALS FREMDSPRACHE

Silke Hilpert | Marion Kerner | Daniela Niebisch
Franz Specht | Dörte Weers
Monika Reimann | Andreas Tomaszewski

unter Mitarbeit von
Isabel Krämer-Kienle und Jutta Orth-Chambah

Schritte 4
international

Kursbuch + Arbeitsbuch

Hueber Verlag

Beratung:

Prof. Dr. Jörg Roche, Ludwig-Maximilians-Universität München

Fotogeschichte:

Fotograf: Alexander Keller, München
Darsteller: Martina Fuchs-Dingler, Francesca Pane, Anna von Rebay, Tim Röhrle, Emil Salzeder und andere
Organisation: Iciar Caso, Weßling

Phonetik:

Monika Bovermann, Heitersheim

Interaktive Übungen für den Computer:

Barbara Gottstein-Schramm, München

5.	4.	3.		Die letzten Ziffern
2013	12	11	10	09	bezeichnen Zahl und Jahr des Druckes.

Alle Drucke dieser Auflage können, da unverändert,
nebeneinander benutzt werden.
1. Auflage
© 2007 Hueber Verlag, 85737 Ismaning, Deutschland
Zeichnungen: Jörg Saupe, Düsseldorf
Layout: Marlene Kern, München
Verlagsredaktion: Dörte Weers, Marion Kerner, Jutta Orth-Chambah, Hueber Verlag, Ismaning
Druck: Firmengrupe APPL, aprinta druck, Wemding
Printed in Germany
ISBN 978-3-19-001854-3

AUFBAU

Symbole / Piktogramme

Kursbuch		Arbeitsbuch	
Hörtext auf CD/Kassette	CD 1 05	Hörtext auf CD/Kassette	CD 3 12
Grammatik	schön (+) schöner (++) am schönsten (+++)	Vertiefungsübung	Ergänzen Sie.
Hinweis	befragen → die Befragung	Erweiterungsübung	Ergänzen Sie.
Aktivität im Kurs			
Redemittel	*Wollen wir ...?* *Lass uns doch ...* *Ich habe da einen Vorschlag / eine Idee.*		

Inhalt Kursbuch

Vorwort

Liebe Leserinnen, liebe Leser,

Schritte international ist ein Lehrwerk für die Grundstufe. Es führt Lernende ohne Vorkenntnisse in jeweils zwei Bänden zu den Sprachniveaus A1, A2 und B1, wie sie im Gemeinsamen Europäischen Referenzrahmen definiert sind. Gleichzeitig bereitet *Schritte international* gezielt auf die Prüfungen *Start Deutsch 1* (Stufe A1), *Start Deutsch 2* (Stufe A2) und *Zertifikat Deutsch* (Stufe B1) vor.

Das Kursbuch

Jede der sieben Lektionen eines Bandes besteht aus einer Einstiegsdoppelseite, fünf Lernschritten A bis E, einer Übersichtsseite sowie einem Zwischenspiel. Die Lernschritte A bis E sind jeweils auf einer Seite abgeschlossen, was einen klaren und transparenten Aufbau schafft.

- **Einstieg:** Jede Lektion beginnt mit einer Folge einer unterhaltsamen Foto-Hörgeschichte. Die Episoden bilden den thematischen und sprachlichen Rahmen der Lektion. Der Handlungsbogen dient als roter Faden für die Lektion und erleichtert die Orientierung im Lernprogramm.

- **Lernschritt A bis C:** Diese Seiten bilden jeweils in sich abgeschlossene Einheiten und folgen einer klaren, einheitlichen Struktur:

  In der Kopfzeile jeder Seite sehen Sie, um welchen Lernstoff es geht. Die Einstiegsaufgabe führt den neuen Stoff ein, indem sie mit einem „Zitat" an die gerade gehörte Foto-Hörgeschichte anknüpft. Grammatik-Einblendungen machen die neu zu lernenden Sprachstrukturen bewusst. Die folgenden Aufgaben dienen dem Einüben der neuen Strukturen. Sie üben den neuen Stoff zunächst meist in gelenkter, dann in freierer Form. Den Abschluss des Lernschritts bildet eine freie, oft spielerische Anwendungsübung oder ein Sprechanlass.

- **Lernschritt D und E:** Hier werden die vier Fertigkeiten – Hören, Lesen, Sprechen und Schreiben – nochmals in authentischen Alltagssituationen trainiert und systematisch erweitert.

- **Übersicht:** Die wichtigen Strukturen, Wendungen und Strategien einer Lektion sind hier systematisch aufgeführt.

- **Zwischenspiel:** Landeskundlich interessante und spannende Lese- und Hörtexte über Deutschland, Österreich und die Schweiz mit spielerischen Aktivitäten runden die Lektion ab.

Das Arbeitsbuch

Im integrierten Arbeitsbuch finden Sie:

- Übungen zu den Lernschritten A bis E des Kursbuchs in verschiedenen Schwierigkeitsgraden, um innerhalb eines Kurses binnendifferenziert mit schnelleren und langsameren Lernenden zu arbeiten
- Übungen zur Phonetik
- Übungen, die zum selbstentdeckenden Erkennen grammatischer Strukturen anleiten
- Anregungen zum autonomen Lernen in Form eines Lerntagebuchs
- Aufgaben zur Vorbereitung auf die Prüfungen *Start Deutsch* und *Zertifikat Deutsch*
- ein systematisch aufgebautes Schreibtraining
- zahlreiche Möglichkeiten, bereits gelernten Stoff zu wiederholen
- Lernwortschatzlisten

Die integrierte CD enthält alle Hörtexte des Arbeitsbuchs sowie interaktive Wiederholungsübungen für den Computer.

Eine Wiederholungssequenz über den in je zwei Bänden erworbenen Lernstoff und ein Modelltest mit Tipps zur Prüfungsvorbereitung finden sich am Ende jeder Niveaustufe (*Schritte international 2, 4, 6*).

Was bietet *Schritte international* darüber hinaus?

- Selbstevaluation: Mit Hilfe eines Fragebogens können die Lernenden ihren Kenntnisstand selbst überprüfen und beurteilen.
- Einen ausführlichen Grammatikanhang und eine alphabetische Wortliste am Ende des Buchs.
- Unter www.hueber.de/schritte-international finden Sie zahlreiche Übungen, Kopiervorlagen, Spiele, Texte und vieles mehr.

Viel Spaß beim Lehren und Lernen mit *Schritte international* wünschen Ihnen

Autoren und Verlag

1 Stellen Sie sich vor: Wie heißen Sie?

2 Sehen Sie das Bild an und lesen Sie.

1 Hallo, ich heiße Maria Torremolinos, bin 20 Jahre alt und komme aus Südamerika. Meine Mutter ist Deutsche, aber ich war noch nie in Deutschland. Ich möchte gerne eine Weile hier leben und darum bin ich …

4 … leider kann Mama danach nicht lange zu Hause bei dem Baby bleiben. Sie und Kurt müssen ja beide arbeiten. Ich heiße übrigens Larissa Weniger, bin 15 und gehe in die 10. Klasse. Ich finde es schön, dass Maria …

2 … und darum ist Maria jetzt erst mal bei uns. Ich heiße Kurt Braun und bin 36 Jahre alt. Als Taxifahrer lerne ich viele Menschen aus aller Welt kennen, zum Beispiel auch einen Freund von Marias Eltern. Der hat mir von Maria erzählt und da habe ich …

5 … dass Maria jetzt bei uns in Deutschland ist. Und am besten ist, dass sie so gut Mathe kann. Wenn das Baby da ist, kann sie mir leider nicht mehr so viel helfen. Ach ja, ich bin Simon Braun, ich bin 14 Jahre alt und gehe in die 9. Klasse.

3 … und da hat Kurt ihn sofort nach Marias Adresse gefragt. Mein Name ist Susanne Weniger, ich bin Kurts Frau, 37 Jahre alt und arbeite in einer Apotheke. In ein paar Monaten bekommen Kurt und ich unser erstes gemeinsames Baby. Leider kann ich …

3 Ergänzen Sie.

Kurt
… ist ❓ von Beruf.

… arbeitet in einer ❓

bekommen bald ein ❓

… ist ❓ Jahre alt.
… geht in die ❓ Klasse.
… ist der Sohn von ❓

… ist ❓ Jahre alt.
… kommt aus ❓
… möchte ❓
… wohnt bei ❓

… ist ❓ Jahre alt.
… geht in die ❓ Klasse.
… ist die Tochter von ❓

4 Was möchten Sie über sich selbst erzählen?
Bilden Sie kleine Gruppen und sprechen Sie über sich.
Stellen Sie dann Ihre Gesprächspartnerinnen und -partner den anderen Gruppen vor.

FOLGE 8: WOLFGANG AMADEUS ODER: WICHTIGERE DINGE

1   **Sehen Sie die Fotos 1–3 an. Was meinen Sie? Kreuzen Sie an.**

a   Was wollen Kurt und Susanne machen?   ☐ Zwei Tage wegfahren.
☐ Einkaufen gehen.

b   Warum sieht Simon sauer aus?   ☐ Er darf nicht Skateboard fahren.
☐ Er darf nicht mitfahren.

c   Was machen Maria und Simon?   ☐ Sie lernen zusammen.
☐ Sie hören Musik.

CD 1 02-09   **2**   **Sehen Sie die Fotos an und hören Sie.**

3   **Stellen Sie selbst Fragen zu der Geschichte. Die anderen antworten.**

| Warum wollen Kurt und Susanne mal ohne Kinder wegfahren? | Weil sie bald ein Baby bekommen. | Wer ist der junge Mann auf Foto 7? | Das ist … |

4 Ergänzen Sie die Namen.

Kurt ● Larissa ● Maria ● Mozart ● Sebastian ● Simon ● Susanne

..Kurt............ und .... fahren übers Wochenende weg. .... und die beiden Kinder fahren nicht mit. .... übernachtet bei ihrer Freundin. .... muss zu Hause bleiben und für die Schule lernen. .... hilft ihm bei den Matheaufgaben. Doch dann hören die beiden Musik aus einer Wohnung gegenüber. .... kennt das Stück, denn es ist von ihrem Lieblingskomponisten, ... Sie möchte den Klavierspieler kennenlernen. Jetzt hilft .... ihr. Er geht ins Nachbarhaus und so kann Maria .... kennenlernen. Sie hat keine Zeit mehr für .... Also kann er doch noch auf den Skateboardplatz gehen.

5 Ergänzen Sie Informationen über Sebastian.

Vorname:	_Sebastian_..................	Alter: ....
Familienname:	....	Beruf: ....

Das Wetter ist nicht besonders schön.
Trotzdem wollen wir mal für zwei Tage raus hier.

A1   Ordnen Sie zu.

a Das Wetter ist nicht besonders schön.   Er macht trotzdem Matheaufgaben.
b Maria möchte Musik hören.   Trotzdem hilft sie Simon bei den Matheaufgaben.
c Simon hat keine Lust.   Trotzdem wollen Kurt und Susanne mal für zwei Tage raus.

Simon hat keine Lust. **Trotzdem** macht er Matheaufgaben.
Er macht **trotzdem** Matheaufgaben.

A2   Was soll Nina tun? Was tut sie wirklich? Sprechen Sie.

Liebe Nina,
ich komme erst am Sonntag früh zurück.
Bitte nicht vergessen:
– Schlaf nicht so lange.
– Tu am Vormittag etwas für die Schule.
– Telefonier nicht so viel.
– Iss auf keinen Fall zu viel Süßes.
– Geh nachmittags an die frische Luft.
– Bleib abends zu Hause.
– Mach spätestens um 23 Uhr das Licht aus.
♡ Mama

Nina soll nicht so lange schlafen. Trotzdem bleibt sie bis zehn Uhr im Bett.

bis 10 Uhr im Bett bleiben

nicht lernen

stundenlang telefonieren

viel Kuchen essen

vor dem Computer sitzen

in die Disko gehen

bis 2 Uhr lesen

A3   Gespräche mit „trotzdem"

a Schreiben Sie zu zweit ein „Drehbuch" für ein kurzes Gespräch. Das Gespräch muss mindestens einen Satz mit „trotzdem" enthalten.
b Schreiben Sie auch eine kleine Regieanweisung: Wer spricht mit wem? Wo?
c Spielen Sie das Gespräch im Kurs vor.

Ein Mann und eine Frau. Zu Hause im Wohnzimmer.
Er ist müde, sie ist sauer.

Sie: Was machen wir heute Abend?
Er: Fernsehen oder Video schauen. Was sonst?
Sie: Aber wir wollten doch essen gehen.
Er: Ach. Ich möchte trotzdem lieber fernsehen.
Sie: Ach komm, bitte …

Zwei Studentinnen, ungefähr 20 Jahre. Im Café.
Sie tratschen.

Marianne: Susanne lernt nie etwas. Trotzdem besteht sie alle Prüfungen.
Helga: Ja, sie macht das sehr gut. Aber trotzdem ist sie ja nicht zufrieden.
Marianne: Ach, warum?
Helga: Weißt du das noch gar nicht: sie war doch verliebt und …

B1 **Wer sagt was? Und wer wünscht sich was? Ordnen Sie zu.**

A

Jetzt bin ich immer noch hier und muss lernen.

Wir würden gerne mal wieder allein wegfahren.

B

Wenn die Familie zu Hause ist, habe ich kaum Zeit für mich.

Aber ich wäre so gerne auf dem Skateboardplatz!

C

Wir fahren eigentlich nie ohne die Kinder weg.

Ich hätte gerne mal ein bisschen Ruhe.

ich	bin	→ wäre	ich	habe	→ hätte	ich	fahre	→ würde	... fahren
du	bist	→ wärst	du	hast	→ hättest	du	fährst	→ würdest	... fahren
er/sie	ist	→ wäre	er/sie	hat	→ hätte	er/sie	fährt	→ würde	... fahren
wir	sind	→ wären	wir	haben	→ hätten	wir	fahren	→ würden	... fahren
ihr	seid	→ wärt	ihr	habt	→ hättet	ihr	fahrt	→ würdet	... fahren
sie/Sie	sind	→ wären	sie/Sie	haben	→ hätten	sie/Sie	fahren	→ würden	... fahren

B2 **Was wünschen sich diese Personen? Sprechen Sie.**

Sie/Er hätte gern ... ● Sie/Er würde gern ... ● Sie/Er wäre gern ...

A B C D E

B3 **Wünsche raten**

a Notieren Sie fünf Wünsche auf ein Blatt.

- Wer wären Sie gern?
- Wo wären Sie jetzt gern?
- Was hätten Sie gern?
- Was würden Sie gern spielen und sammeln?

Ich wäre gern eine Königin.
Ich wäre jetzt gern in Berlin.
Ich hätte gern ein Fahrrad.
Ich würde gern Theater spielen.
Ich würde gern Rezepte sammeln.

Wer?	Wo?	Was?	Spielen?	Sammeln?
Brad Pitt	zu Hause	viel Geld	Klavier	Streichholzschachteln
Prinz Charles	in einem Park	einen Hund	Karten	Briefmarken
...	...	...	...	...

b Mischen Sie die Blätter und verteilen Sie sie neu. Lesen Sie vor. Die anderen raten: Wer wünscht sich was?

Meine Person wäre gern eine Königin. Sie wäre jetzt ...

B4 **Machen Sie eine Wunschliste für den Unterricht.**

Gespräche hören ● sprechen ● Filme sehen ● Texte schreiben ●
Briefe schreiben ● Wörter wiederholen ● Spiele machen ● ...

Wir würden gern
- am Computer Übungen machen
- Texte lesen
- ...

C1   **Erinnern Sie sich? Welche Vorschläge machen Susanne und Simon?**

a | Maria, du könntest … | ☐ doch etwas mit anderen jungen Leuten unternehmen.
☐ doch Mathe lernen.

b | Ich könnte … | ☐ ins Nachbarhaus gehen.
☐ noch etwas Mathe lernen.

ich	könnte	
du	könntest	
er/sie	könnte	… gehen
wir	könnten	
ihr	könntet	
sie/Sie	könnten	

CD 1 10-12   **C2**   **Hören Sie drei Gespräche. Beantworten Sie die Fragen.**

a Wen ruft Betti an?
b Was möchte Betti?
c Wer geht mit? Martin, Stefan oder Luis?
d Warum gehen die beiden anderen nicht mit?

CD 1 10-12   **C3**   **Wer macht welchen Vorschlag? Hören Sie noch einmal und ordnen Sie zu.**

Betti   Du könntest mal wieder deine Tango-Schuhe anziehen.
Martin   Du könntest mitgehen. Es gibt noch Karten.
Stefan   Wir könnten nächsten Samstag was zusammen machen.
            Wir könnten doch mal wieder tanzen gehen.
            Ich finde, wir könnten mal wieder zusammen was unternehmen.

 C4   **Sprechen Sie über Ihr Wochenende. Machen Sie Vorschläge und antworten Sie.**

● Was machen wir am Freitagabend?
  Hast du eine Idee?

▲ Wir könnten mal wieder Karten spielen.
  Hast du Lust?

● Warum nicht? Wann sollen wir uns treffen?

▲ Sagen wir um neun Uhr bei mir.

■ Ich würde am Freitagabend gern Karten spielen.
  Hast du Lust?

◆ Schade, das geht leider nicht.
  Ich habe keine Zeit.

■ …

Am Freitag Karten spielen	**Am Samstag** ein Fußballspiel ansehen	**Am Samstag** in ein Konzert gehen	**Am Sonntag** ins Museum gehen
Am Samstag einen Spaziergang machen	**Am Sonntag** einen Ausflug machen	**Am Sonntag** eine LAN-Party machen	**Am Freitag** …

Wir könnten (mal wieder) …
Wie wäre es mit …?
Ich würde gern … Hast du Lust?
Ich schlage vor, wir …

☺   ☹

Warum nicht? Wann …?   *Tut mir leid, aber …*
In Ordnung.   *Leider habe ich keine Zeit.*
Ja, das geht bei mir.   *Schade, das geht leider nicht. Ich …*
Einverstanden. Dann bis …   *Ich würde gern …, aber …*
Gute Idee. Das machen wir. Das ist prima.   *Da kann ich leider nicht. Aber …*
Ich komme/mache gerne mit. Um wie viel Uhr …?   *Ich würde eigentlich lieber …*

D1 **Was kann man am Wochenende unternehmen? Ergänzen Sie.**

D2 **Fragen Sie und antworten Sie.**

- Was machst du gerne am Freitagabend?
- Was machst du normalerweise am Samstag?
- Und am Sonntag, was machst du da?

◆ Am Freitagabend ... ich gerne ...
◆ Am Samstag ... ich am liebsten ...
◆ Am Sonntag ... ich oft ...

D3 **Wann gibt es welche Veranstaltung? Ordnen Sie zu.**

Tag der offenen Tür ● Ausstellung ● Konzert ● Tanz ● Theater ● Rundfahrt ● Lesung

Mo	Di	Mi	Do	Fr	Sa
Tag der offenen Tür					

VERANSTALTUNGSKALENDER

Mo 1.12.
35. Tag der offenen Tür
der freiwilligen Feuerwehr
Verbringen Sie einen Tag bei der
Berliner Feuerwehr und lernen Sie die
verschiedenen Dienstbereiche kennen.

Di 2.12.
Berliner Ensemble
Theater am Schiffbauerdamm
20.00 Leonce und Lena
Büchner/Wilson/Grönemeyer
Eintrittskarten unter
www.berliner-ensemble.de

London Bar
In der Reihe „Nachtgespräche mit
Berliner Autoren" liest Frank Wolff
aus seiner neuen Erzählung *Lüge*
und Macht. Anschließend Diskussion.
Einlass: 19.00, Beginn: 23.00 Uhr

Mi 3.12.
Eis-Disko
Eisstadion Wilmersdorf,
Fritz-Wildung-Str. 9 (Wilmersdorf)
Tel. 24 10 12
Täglich 17.00 Uhr:
Eisdisko: Lieder der 90er Jahre
Eintritt: Jugendliche bis 16 Jahre,
Senioren 1,50 €, Erwachsene 3 €

Do 4.12.
Hobbyfotografen zeigen ihre Fotos
Gesichter aus der Nachbarschaft
Heimatmuseum
Marzahner Promenade 31
Tel. 541 02 31
10.00 Uhr:
Eröffnung mit Verkauf

Eintritt frei

Fr 5.12.
Auf der *Neptun – Berlin bei Nacht*
Per Schiff auf der Spree
Reederei Kreuzner, Fraenkelufer 61
(Kreuzberg) Tel. 96 46 40
Internet: www.reederei-kreuzner.de
20.00 Uhr: Ausflug inklusive
Abendessen, Dauer: 3 Stunden

Sa 6.12.
Weihnachtsstücke
für Klavier und Orchester
im Berliner Dom, Am Lustgarten 1
(Mitte), Tel. 20 26 91
11.00 Uhr: Das Kölner Bach-Ensemble
unter Leitung von Elsbeth Weinrich und
Erwin Wächter spielt klassische Werke
von Bach und Tschaikowsky.
Karten nur am Eingang
Studenten-Ermäßigung

D4 **Welche Veranstaltung würden Sie auswählen? Warum?**

Ich würde gerne ... besuchen, weil ...
Ich würde lieber in(s) ... gehen, weil ...
Am liebsten würde ich ... machen, weil ...

E1 Lesen Sie die Anzeigen. Welche Wochentage und Uhrzeiten finden Sie?

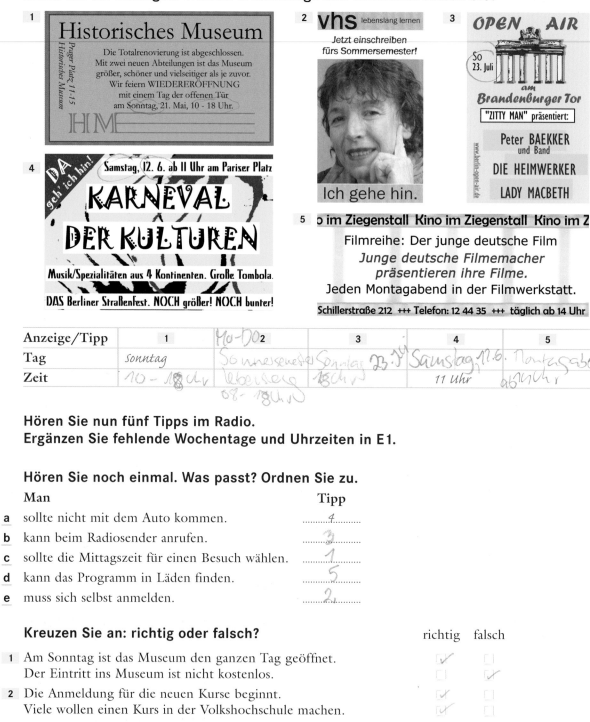

1

Historisches Museum

Die Totalrenovierung ist abgeschlossen.
Mit zwei neuen Abteilungen ist das Museum
größer, schöner und vielseitiger als je zuvor.
Wir feiern WIEDERERÖFFNUNG
mit einem Tag der offenen Tür
am Sonntag, 21. Mai, 10 - 18 Uhr.

*Prager Platz 11-15
Historisches Museum*

H M

2 vhs lebenslang lernen

Jetzt einschreiben
fürs Sommersemester!

Ich gehe hin.

3 OPEN AIR

So 23. Juli

am Brandenburger Tor

"ZITTY MAN" präsentiert:

Peter BAEKKER
und Band

DIE HEIMWERKER

LADY MACBETH

www.berlin-open-air.de

4 DA geh' ich hin!

Samstag, 12. 6. ab 11 Uhr am Pariser Platz

KARNEVAL DER KULTUREN

Musik/Spezialitäten aus 4 Kontinenten. Große Tombola.

DAS Berliner Straßenfest. NOCH größer! NOCH bunter!

5 o im Ziegenstall Kino im Ziegenstall Kino im Z

Filmreihe: Der junge deutsche Film
*Junge deutsche Filmemacher
präsentieren ihre Filme.*
Jeden Montagabend in der Filmwerkstatt.

Schillerstraße 212 +++ Telefon: 12 44 35 +++ täglich ab 14 Uhr

Anzeige/Tipp	1	Mo-Do 2	3	4	5
Tag	Sonntag	Sonnesemester Sonntag 23. 7.	Samstag 12.6.	Montagabend
Zeit	10 - 18 Uhr	Überweg 08 - 18 Uhr	18 Uhr	11 Uhr	ab 14 Uhr

CD 1 13-17 **E2** Hören Sie nun fünf Tipps im Radio.
Ergänzen Sie fehlende Wochentage und Uhrzeiten in E1.

CD 1 13-17 **E3** Hören Sie noch einmal. Was passt? Ordnen Sie zu.

Man | Tipp
a sollte nicht mit dem Auto kommen. ....4........
b kann beim Radiosender anrufen. ....3........
c sollte die Mittagszeit für einen Besuch wählen. ....1........
d kann das Programm in Läden finden. ....5........
e muss sich selbst anmelden. ....2........

E4 Kreuzen Sie an: richtig oder falsch?   richtig   falsch

1 Am Sonntag ist das Museum den ganzen Tag geöffnet.   ☑ ☐
Der Eintritt ins Museum ist nicht kostenlos.   ☐ ☑

2 Die Anmeldung für die neuen Kurse beginnt.   ☑ ☐
Viele wollen einen Kurs in der Volkshochschule machen.   ☑ ☐

3 Das Konzert ist in einem Haus in der Nähe vom Brandenburger Tor. ☐ ☑
Es gibt beim Rundfunk noch Karten für das Konzert.   ☑ ☐

4 Das Fest findet außerhalb von Berlin statt.   ☐ ☑
Es gibt kostenlose Parkplätze für die Besucher.   ☐ ☑

5 Das Kino ist im August nicht geschlossen.   ☐ ☑
Montags stellen die Filmemacher ihre Filme selbst vor.   ☑ ☐

Grammatik

1 Satzverbindung: *trotzdem*

		Position 2	
Das Wetter ist nicht schön.	**Trotzdem**	fahren	sie für zwei Tage weg.
	Sie	fahren	**trotzdem** für zwei Tage weg.

2 Konjunktiv II: Konjugation

ich	wäre	hätte	würde	könnte
du	wär(e)st	hättest	würdest	könntest
er/es/sie	wäre	hätte	würde	könnte
wir	wären	hätten	würden	könnten
ihr	wär(e)t	hättet	würdet	könntet
sie/Sie	wären	hätten	würden	könnten

3 Konjunktiv II: Wunsch

Ich	wäre	gern	auf dem Skateboardplatz.
Sie	hätte	gern	ein bisschen Ruhe.
Wir	würden	gern	allein wegfahren.

4 Konjunktiv II: Vorschlag

Du	könntest	doch etwas **unternehmen**.
Wir	könnten	

Wichtige Wendungen

Freizeitaktivitäten: etwas unternehmen, …

Kultur:	eine Ausstellung besuchen • ins Museum / ins Theater / in die Oper / ins Konzert gehen • Klavier/Theater spielen
Natur:	an die frische Luft gehen • einen Ausflug machen • einen Spaziergang machen
Zu Hause:	bei Freunden übernachten • Freunde zu … einladen • Karten spielen • DVD/Video schauen • stundenlang telefonieren • Briefmarken / … sammeln • im Bett bleiben • eine Party machen
Ausgehen:	etwas (zusammen) unternehmen • in die Kneipe / in ein Lokal gehen • essen gehen • in die Disko gehen
Sport:	ein Fußballspiel ansehen • Skateboard fahren

Wünsche äußern: Ich würde gern …

Ich wäre jetzt gern in Berlin. •
Ich hätte gern ein Fahrrad. •
Ich würde gern Theater spielen.

einen Vorschlag annehmen: Warum nicht?

Warum nicht? • Einverstanden. • Das geht bei mir. •
Gute Idee. Das machen wir. • Das ist prima. •
In Ordnung. • Ich komme/mache gern mit.

Vorschläge machen: Wir könnten …

Wir könnten mal wieder Karten spielen. •
Wie wäre es mit …? • Ich würde gern … •
Hast du Lust? • Ich schlage vor, wir …

einen Vorschlag ablehnen: Schade, …

Schade, das geht leider nicht. •
Tut mir leid, aber … • Leider habe ich keine Zeit. •
Ich würde gern kommen/mitmachen, aber … •
Da kann ich leider nicht. Aber … •
Ich würde (eigentlich) lieber …

Jeder kann es in der Bibel nachlesen. Sechs Tage lang hat Gott gearbeitet: Montag, Dienstag, Mittwoch, Donnerstag, Freitag, Samstag. Dann war die Welt fertig und der Herr hat eine Pause gemacht. Diesen siebten Tag hatte er besonders gern. Auch für die Menschen in den deutschsprachigen Ländern war und ist der Sonntag etwas Besonderes und so haben wir eine ganze Reihe Wörter, die mit „Sonntags …" beginnen.

Früher hatten die meisten Menschen sehr wenig Geld und mussten am „Tag des Herrn" von ihrer schweren körperlichen Arbeit ausruhen. In den letzten Jahrzehnten hat sich unser Leben sehr verändert. Heute sitzt man die ganze Woche vor dem Computer und möchte wenigstens am Wochenende sportlich sein.
Manche unserer „Sonntags-Wörter" sind also heute vielleicht ein bisschen altmodisch. Trotzdem verwenden wir sie gerne und oft. In unserem kleinen Glossar möchten wir sie Ihnen nun vorstellen.

…kind

Hören Sie das Märchen vom „Hans im Glück" und sehen Sie dazu die Zeichnungen an.

<u>1</u> **Lesen Sie den Text und das Glossar.**

Welches „Sonntags-Wort" passt gut oder gar nicht zu Ihrem Leben? Warum?

„Sonntagsbraten" passt gar nicht zu mir. Ich bin Vegetarier.

Mein Opa ist ein richtiger „Sonntags-fahrer". Er fährt nur …

CD 1 | 18-24 <u>2</u> **Hören Sie das Märchen „Hans im Glück" und sehen Sie dazu die Bilder an.**

Schreiben Sie für das Glossar eine kleine Definition von „Sonntagskind".

optimistisch ● glücklich ●
das Leben positiv sehen

…beilage

Manche Zeitungen haben am Samstag einen besonderen Teil für das Wochenende. Dieser Teil wird auch Sonntagsbeilage genannt.

…braten

Ein besonders guter und leckerer Braten. Nur wenige reiche Leute haben früher mehrmals in der Woche Fleisch gegessen. Für die meisten war es viel zu teuer. Wenn sie doch mal Fleisch hatten, dann am Sonntag.

…fahrer

So nennt man einen unsicheren, ungeübten Autofahrer. Man möchte damit sagen: der kann es nicht richtig, der fährt wohl nur am Sonntag. Ähnlich: …jäger und …maler.

…kleid und …anzug

Die Kleidung der meisten Menschen war früher sehr einfach. Nur für den Kirchgang am Sonntag oder für besondere Feste hatte man bessere Sachen zum Anziehen.

…rede

Sonntagsredner wollen die Welt verbessern. Wenn sie ihre Sonntagsreden halten, dann sagen sie oft: „man sollte", „man könnte". Am Montag machen sie dann aber meistens alles genauso wie vorher.

…spaziergang

Früher hat oft die ganze Familie am Sonntag-nachmittag einen gemeinsamen Spaziergang gemacht.

…zeitung

Ein paar Zeitungen im deutschsprachigen Raum bringen auch am Sonntag eine eigene Ausgabe.

---

3   **Ist Hans Ihrer Meinung nach wirklich ein Sonntagskind?**

4   **„Sonntags-Wörter": Arbeiten Sie in kleinen Gruppen.**

■ Welche „Sonntags-Wörter" sollte es noch geben? Denken Sie sich zwei Wörter aus.
■ Schreiben Sie eine kurze Definition und stellen Sie den anderen Gruppen Ihre Wörter vor.

die Sonntagslangeweile

Sonntage sind oft langweilig, weil alle mit ihren Familien zusammen sind und niemand Zeit hat.

die Sonntagsblume

FOLGE 9: *LAMPEN-MÜLLER*

1 **Sehen Sie die Fotos 3–6 an. Wo sind Maria und Sebastian? Kreuzen Sie an.**

- ☐ Auf dem Flohmarkt.
- ☐ In einem Kaufhaus.
- ☐ In einem Fachgeschäft für Lampen.

2 **Was passt? Kreuzen Sie an.**

	Flohmarkt	Fachgeschäft
a Dort kann man gebrauchte Sachen kaufen.	☐	☐
b Man bekommt eine Garantie auf die gekauften Sachen.	☐	☐
c Dort kann man handeln.	☐	☐

CD 1 25–32 **3** **Sehen Sie die Fotos an und hören Sie.**

4   In dem Text sind vier Fehler. Verbessern Sie die Fehler.

Maria braucht eine Schreibtischlampe. Sebastian meint, dass sie in ein
Fachgeschäft für Lampen gehen soll. Aber Maria geht lieber mit Kurt
auf den Flohmarkt. Dort gibt es verschiedene Lampions aus Plastik und
Metall. Maria kann sich nicht entscheiden. Sie kauft aber Geschenke.
Kurt ist immer noch sicher: Wenn man gute Lampen kaufen will, muss
man auf den Flohmarkt gehen. Dort bekommt man Qualität.

....

....

....

....

....

5   Waren Sie schon einmal auf einem Flohmarkt? Haben Sie dort etwas gekauft? Was halten Sie von Flohmärkten?

| Ich war noch nie auf einem Flohmarkt. | Ich schon, ich gehe regelmäßig auf den Flohmarkt. | Ich halte nichts von Flohmärkten. Dort … |

CD 1 33-36 **A1**   Hören Sie noch einmal und ergänzen Sie.

a ● Du brauchst unbedingt eine Schreibtischlampe.
   ▲ Aber wo bekomme ich eine?
      Kennst du ein gut....... Geschäft?

b ▲ Sebastian sagt, dass morgen ein groß.*er*.
      Flohmarkt ist.
   ● Flohmarkt? Na und?

c ● Was sagt er denn?
   ▲ Sebastian meint, dass man auf dem
      Flohmarkt sehr schön....... und billig.......
      Lampen kaufen kann.

d ▲ Aber die Form finde ich nicht so schön.
      Haben Sie denn keine rund....... Lampe?

		Nominativ		▲ **Akkusativ**
de**r**/de**n** Flohmarkt	ein	**großer**	Flohmarkt	einen **großen** Flohmarkt
da**s** Geschäft	ein	**gutes**	Geschäft	
di**e** Lampe	eine	**runde**	Lampe	
di**e** Lampen	–	**billige**	Lampen	

auch so: kein, keine; keinen; *aber:* ▲ keine **billigen** Lampen

CD 1 37-38 **A2**   Auf dem Flohmarkt: Hören Sie und variieren Sie.

a ■ Schau mal, da ist ein schöner Stuhl.
   ▲ Oh ja, der ist wirklich schön.

Varianten:
(das) Radio – alt ● (die) Zuckerdose – süß ●
Bücher – interessant

b ■ Schau mal, da ist eine alte Lampe.
   ▲ Aber du suchst doch einen alten Stuhl
      und keine alte Lampe.

Varianten:
(die) Mütze – dick – (der) Schal ●
(die) Kanne – blau – (der) Teller

CD 1 39-44 **A3**   Auf dem Flohmarkt: Ergänzen Sie die Gespräche.
Hören Sie dann und vergleichen Sie.

der Sessel, -   die Kamera, -s
das Besteck, -e   das Geschirr

1 ● Was suchst du denn?
   ▲ Einen alt....... Sessel.

2 ▲ Schau dir das an, so ein toll....... Silberbesteck!
      Messer, Gabeln, groß....... und klein....... Löffel,
      alles da!

3 ● Weißt du, ich suche so eine mechanisch....... Kamera.
   ▼ Die bekommt man jetzt ganz billig. Die Leute
      wollen keine mechanisch....... Kameras mehr.

4 ▲ Brauchst du nicht
      auch noch klein....... Gläser?
   ● Stimmt, ich habe ja noch gar keine.

5 ■ Das letzte Mal habe ich ein wirklich
      günstig....... Geschirr gekauft.
      Super schön und wie neu!

6 ● Entschuldigung, haben Sie
      denn keine tief....... Teller?

A4   Machen Sie ein Plakat: Sie wollen Ihr Klassenzimmer verschönern.
Sie gehen auf den Flohmarkt. Was kaufen Sie?

Wir brauchen			
(den)	(das)	(die)	(die)
einen kleinen...	ein anderes...	eine große...	neue Stühle

B1 Hören Sie noch einmal und variieren Sie.

● Auf dem Flohmarkt kann man sehr schöne und billige Lampen kaufen.

▲ Auf dem Flohmarkt? Bei einer neuen Lampe hast du Garantie.

Varianten:
(der) Wecker, - ● (das) Radio, -s ● (die) Uhr, -en

Dativ			
bei	einem		Wecker
mit	einem	**neuen**	Radio
...	einer		Lampe
	–		Lampen

auch so: keinem, keiner, keinen

B2 Im Kaufhaus: Ordnen Sie die Gespräche den Abteilungen zu. Ergänzen Sie. Hören Sie dann und vergleichen Sie.

1 ● Entschuldigung, können Sie mir helfen? Wo finde ich Turnschuhe mit ein......... weich......... Sohle?

2 ▼ Verzeihung. Wo finden wir denn ein Topf-Set mit ein......... klein......... Milchtopf?

3 ▲ Ich suche für meine Enkelin eine elektrische Eisenbahn mit einer alt........ Lokomotive.

4 ■ Wir suchen ein Fernsehgerät mit ein......... flach......... Bildschirm.

◆ Fernseher sind ganz da hinten. Da finden Sie auch welche mit flach......... Bildschirmen.

☐ **Haushaltswaren**

☐ **Sport**

die Sohle, -n
der Milchtopf, ¨e
die Lokomotive, -n
der Bildschirm, -e

☐ **Elektrowaren**

☐ **Spielzeug**

B3 Richten Sie ein Wohnzimmer ein. Zeichnen Sie und sprechen Sie zu zweit.

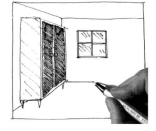

das Regal:	ein klein... / groß... Regal aus Holz / aus Metall
der Schrank:	ein groß... / ... Schrank mit schwarz... / ... Türen
der Tisch:	ein niedrig... / ... Tisch mit einer eckig... / ... Platte aus Glas
die Couch:	eine braun... / ... Couch aus Stoff
...	

▲ Also, neben das Fenster stellen wir einen großen Schrank mit schwarzen Türen.
● Ja, das sieht gut aus.

▲ Und hier eine braune Couch aus Stoff.
● Eine braune Couch? Das passt doch nicht zu einem Schrank mit schwarzen Türen.

aus | Holz
Glas
Metall
Stoff

C1 Hören Sie noch einmal und ergänzen Sie.

schöner ● schön ● am schönsten

■ Die ist ganz .... , oder?

● Hm, ich weiß nicht, ich finde die hier ....

■ Hey, die da! Die gefällt mir sehr gut!

● Ja, stimmt, die finde ich auch .... ,
aber leider ist sie aus Plastik.

schön	(+)	–
schöner	(++)	-er
am schön**sten**	(+++)	am ...-sten

C2 Auf dem Jahrmarkt: Ergänzen Sie. Hören Sie dann und vergleichen Sie.

1 ▢ Gemüsereibe ... Damit reiben Sie Ihre Karotten und Gurken
noch *kleiner* .... (klein ++), ... (fein ++)
und .... (sicher ++).
Warten Sie nicht .... (lang ++)! ...

2 ▢ Wunderputztuch ... Es ist .... (gut ++) und
.... (gesund ++) für Ihre Haut und reinigt noch
.... (gründlich ++). Greifen Sie zu, denn jetzt
ist es für Sie .... (interessant +++):
Drei Tücher zum Preis von einem!

3 ▢ Deckelöffner ... Der Deckel öffnet sich ....
(leicht ++) und .... (schnell ++). ... Jetzt ist die
Auswahl noch .... (groß +++).

C3 Hören Sie und variieren Sie.

lang	länger	am längsten
groß	größer	am größten
gesund	gesünder	am gesündesten
interessant	interessanter	am interessantesten

● Wie findest du die Ohrringe?
▲ Also, ich finde die Kette schöner
als die Ohrringe.

schön**er als** ...

Varianten:

der Rock – die Hose – hübsch ● das Tuch ▱ – der Schal ▱ – warm ●
die Strümpfe 🧦 – die Socken 🧦 – bequem ● die Reisetasche – der Koffer – praktisch

C4 Im Kurs: Machen Sie ein „Plakat der Superlative". Finden Sie weitere Fragen.

Wer wohnt ... (weit) entfernt? ● Wo kauft man ... (billig)
Kleidung ein? ● Wo isst man ... (günstig)? ● ...

▲ Wer wohnt am weitesten entfernt? Vielleicht Tom oder Piero?
● Also, bei mir sind es 24 Kilometer. Und bei dir, Piero?
▼ Ich wohne noch weiter entfernt: 32 Kilometer.

Wer wohnt am weitesten entfernt?
Piero 32 km

D 1 Was meinen Sie: Wofür geben die Deutschen am meisten Geld aus?

Ergänzen Sie die Statistik. Vergleichen Sie im Kurs und mit den Ergebnissen unten.

Nahrungsmittel ● Miete (+ Strom, Wasser, Heizung, …) ● Kleidung ● Versicherungen ●
Kommunikation (Internet, Telefon, Post, …) ● Unterhaltung (Sport, Urlaub, Kultur, …)

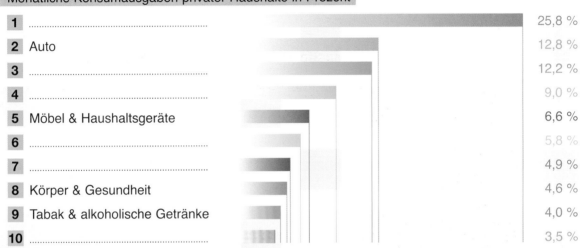

Wofür wir am meisten Geld ausgeben

Monatliche Konsumausgaben privater Haushalte in Prozent

1	....	25,8 %
2	Auto	12,8 %
3	....	12,2 %
4	....	9,0 %
5	Möbel & Haushaltsgeräte	6,6 %
6	....	5,8 %
7	....	4,9 %
8	Körper & Gesundheit	4,6 %
9	Tabak & alkoholische Getränke	4,0 %
10	....	3,5 %

Auflösung: 1 Miete 3 Nahrungsmittel 4 Unterhaltung
6 Versicherungen 7 Kleidung 10 Kommunikation

55-58 ▣ D 2 Interviews: Wofür geben die Leute ihr Geld aus?

Was ist richtig? Hören Sie und kreuzen Sie an.

Sie gibt ihr Geld
am liebsten für … aus.

☐ Urlaub
☐ Kleidung
☐ Kultur

Was ist ihm
wichtiger?

☐ Ein neuer Computer.
☐ Eine neue Musikanlage.
☐ Der Computer ist ihm
genauso wichtig wie
die Musikanlage.

Er gibt am meisten
für … aus.

☐ seine Kinder
☐ den Urlaub
☐ Miete, Auto,
Versicherung, Gas

Sie müssen einen Kredit
für … aufnehmen.

☐ ein neues Auto
☐ einen langen Urlaub
☐ ein eigenes Haus

wichtiger als …
so wichtig wie …

D 3 Erzählen Sie: Wofür geben Sie Ihr Geld aus?

Am meisten / Sehr viel gebe ich für … aus.
Ich gebe nicht gern Geld für … aus.
Das ist mir wichtig / nicht wichtig.
Da spare ich (nicht).
Die Qualität muss stimmen.
Das ist es mir (nicht) wert.

Am meisten gebe ich sicher für meine Miete
aus. Die Wohnungen sind ja so teuer hier.
Und ich gebe sehr viel Geld für Essen aus. Ich
finde, beim Essen muss die Qualität stimmen.
Da spare ich nicht. Das ist es mir wert.

E1 Was meinen Sie?

a Sehen Sie die Fotos aus E2 an. Wie gefallen Ihnen die Porzellanpuppe, der Harlekin und der Drache?

b Lesen Sie nun die Einleitung und die Überschriften.

- Von wem hat Karlheinz Wiese die Sachen wohl bekommen?
- Warum findet er diese Sachen wohl hässlich, schön oder lustig?

> Ich glaube, er hat die Porzellanpuppe von seiner Großmutter bekommen.
> Er findet sie wahrscheinlich hässlich, weil sie gar nicht modern aussieht.

> Nein, ich denke, …

E2 Lesen Sie nun den ganzen Text. Beantworten Sie dann die Fragen aus E1 noch einmal.

Drei von meinen Sachen

Hässlich oder schön, traurig oder lustig – mit manchen Gegenständen verbinden wir sofort eine Erinnerung. Heute stellt der Schauspieler und Regisseur Karlheinz Wiese drei von seinen Sachen vor und erzählt uns ihre Geschichte.

Die finde ich am hässlichsten

Die Tänzerin aus Porzellan hat mir meine Schwiegermutter zum 40. Geburtstag geschenkt. „Das ist ein wunderbares Kunstwerk", hat sie gesagt. Ich habe vom ersten Moment an gedacht: „Um Himmels Willen, ist die hässlich!" Aber ich wollte nicht unhöflich sein und habe sie ins Wohnzimmer gestellt. Nur für ein paar Tage, habe ich gedacht. Aber das war leider ein schlimmer Fehler. Seit acht Jahren guckt die Schwiegermutter nun bei jedem Besuch nach, ob ihr „wertvolles Geschenk" noch an seinem Platz ist.

Die ist am schönsten

Den Harlekin hat mein Sohn vor zwanzig Jahren gemacht. Damals ist es mir gar nicht gut gegangen, ich hatte ziemliche Probleme mit meiner Gesundheit. Natürlich habe ich meinem Sohn nichts davon erzählt. Aber Kinder merken so etwas ja trotzdem. Eines Tages ist Chris mittags nach Hause gekommen und hat den Harlekin auf den Tisch gestellt. „Da Papa", hat er gesagt, „den hab' ich in der Schule für dich gemacht. Jetzt kannst du dich aber mal wieder richtig freuen." Tja, seitdem freue ich mich wirklich jedes Mal, wenn ich diese kleine Figur sehe.

Die finde ich am lustigsten

Den Plastikdrachen habe ich von den Schauspielern nach meiner ersten größeren Arbeit als Theaterregisseur bekommen. Ich habe sie gefragt: „Warum denn ein Drache?" Sie haben geantwortet: „Warum denn nicht? Drachen bringen doch Glück." Ich glaube aber, die Sache hatte einen anderen Grund. Ich bin nämlich bei den Proben ein paar Mal ziemlich laut geworden.

E3 Welche von Ihren Sachen finden Sie besonders hässlich, schön oder lustig?

Stellen Sie sie im Kurs vor.
Bringen Sie sie oder ein Bild davon mit und erzählen Sie:

- Wie oder von wem haben Sie sie bekommen?
- Warum finden Sie sie hässlich, schön oder lustig?

Grammatik

1 Adjektivdeklination: unbestimmter Artikel

		Nominativ			Akkusativ			Dativ	
maskulin	ein	**großer**	Wecker	einen	**großen**	Wecker	einem	**großen**	Wecker
neutral	ein	**großes**	Radio	ein	**großes**	Radio	einem	**großen**	Radio
feminin	eine	**große**	Lampe	eine	**große**	Lampe	einer	**großen**	Lampe
Plural	–	**große**	Ringe	–	**große**	Ringe	–	**großen**	Ringe**n**

auch so: kein, keine, keinen, keinem, keiner; *aber:* keine großen Lampen

2 Komparation

Positiv +	Komparativ ++	Superlativ +++	
schön	schön**er**	am schön**sten**	
interessant	interessan**ter**	am interessan**testen**	-d/-t + esten
▲ lang	**länger**	am **längsten**	
groß	**größer**	am **größten**	
gesund	ges**ün**der	am ges**ün**desten	

3 Vergleichspartikel: *als, wie*

schön**er als** ...
Ich finde die Ohrringe schön**er als** die Kette.

so wichtig **wie**
Mein ... ist mir genauso wichtig **wie** mein ...

Wichtige Wendungen

Vorlieben ausdrücken

Wofür geben Sie am liebsten / am meisten Geld aus? •
Ich gebe am liebsten / am meisten Geld für ... aus. •
Ich gebe lieber Geld für ... aus.

etwas bewerten

Die Qualität muss stimmen. •
Das ist es mir wert! •
Das finde ich am schönsten / lustigsten / hässlichsten. •
Um Himmels willen, ist die hässlich!

Strategien

Schau dir das an, ... • Weißt du, ich ...

eine Äußerung einleiten

Entschuldigung. Können Sie mir helfen? •
Verzeihung. Haben Sie ...? •
Wo finde ich ...? / Ich suche ...

M usik für überall? Musik mit auf die Reise nehmen? Musik einfach in die Hosentasche stecken? Nein, wir reden nicht über CDs oder MP3-Player, unser Thema ist die Mundharmonika. Sie kennen sie natürlich. Sie haben vielleicht selbst schon mal auf einer gespielt. Hier können Sie ein bisschen mehr über dieses Musikinstrument erfahren.

Wir wollen ehrlich sein: die Grundidee kommt aus China. Dort hat man schon vor 5000 Jahren ähnliche Instrumente gebaut. „Unsere" Mundharmonika ist aber noch nicht so alt. Wann und wo man die erste produziert hat? Das weiß man nicht so genau. Sicher ist nur: im Jahr 1825 konnte man in Wien Mundharmonikas kaufen. Das Instrument könnte also aus Österreich kommen. Für seinen späteren internationalen Erfolg sind vor allem zwei deutsche Firmen verantwortlich: „C. A. Seydel Söhne" im sächsischen Klingenthal und die „Matthias Hohner AG" im württembergischen Trossingen. Sie exportieren ihre Instrumente in alle Welt und mit besonders großem Erfolg nach Nordamerika.

Dort wird die „harmonica" oder „blues harp" dann ab etwa 1920 zu einem wichtigen Instrument der Popkultur. In der Blues-, Country- und Jazzmusik darf sie bald nicht mehr fehlen. Mundharmonika-Gruppen, wie die „Harmonica Rascals" oder die „Harmonicats", feiern große Erfolge. Die „Harmonicats" können ihre Single „Peg O' My Heart" mehr als 20 Millionen mal verkaufen.

In den deutschsprachigen Ländern hat ihre Reise begonnen. Aber schon bald kann man die Mundharmonika überall hören. In allen Ländern und Kontinenten zeigen Menschen mit diesem kleinen Ding aus Metall ihre Stimmung, lassen ihr Herz ‚sprechen' und ‚reden' musikalisch miteinander. Ist das nicht wunderbar? Wir brauchen mehr solche Erfindungen!

CD 1 59 **1** **Hören Sie drei Stücke auf der Mundharmonika.**

Wie gefallen Ihnen die Stücke? Welche Stimmung drücken sie aus?

> fröhlich ● melancholisch ● traurig ● lustig ● bewegt ● ruhig ● …

2 **Lesen Sie nun die Texte. Formulieren Sie die richtigen Fragen zu den Antworten.**

1 Aus China, natürlich. **2** Das war 1825. **3** Die Hohner-AG ist in Baden-Württemberg, die C. A. Seydel Söhne in Sachsen.

Noch ein paar interessante Zahlen:

Zwischen 1920 und 1940 hatten viele Schulen in den USA Mundharmonikaunterricht in ihrem offiziellen Lehrplan.

Zwischen 1857 und 1986 hat die Firma Hohner eine Milliarde Mundharmonikas produziert.

Die Mundharmonika war das erste Musikinstrument im Weltraum. Am 16. Dezember 1965 hat Astronaut Walter Schirra im Raumschiff Gemini 4 auf einer Hohner-Mundharmonika das Weihnachtslied „Jingle Bells" gespielt.

4 In die ganze Welt, vor allem nach Nordamerika.

5 In dieser Zeit hat die Firma eine Milliarde Mundharmonikas produziert.

6 Ein Weihnachtslied.

3 Berühmte Produkte aus Deutschland, Österreich und der Schweiz

Recherchieren Sie im Internet. Welche berühmten Produkte kommen aus diesen Ländern? Wählen Sie eins aus und stellen Sie es den anderen vor:

- Seit wann gibt es das Produkt?
- Wer hat es erfunden?
- Wer produziert und verkauft es?

Montblanc-Füller ●
Maggi ●
Kürbiskernöl ● …

FOLGE 10: *KUCKUCK!*

1 **Paket oder Päckchen? Ordnen Sie zu.**

das Paket   2
der Aufkleber   3
der Absender   4
der Empfänger   5
das Päckchen   1

POSTPAKET (Deutschland)   Deutsche Post

2 **Sehen Sie die Fotos an und schreiben Sie mit Ihrer Partnerin /
Ihrem Partner zu jedem Foto ein bis zwei Sätze.**

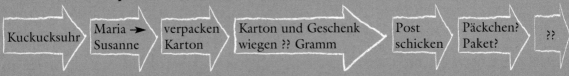

Kuckucksuhr → Maria Susanne → verpacken Karton → Karton und Geschenk wiegen ?? Gramm → Post schicken → Päckchen? Paket? → ??

| Foto 1 | *Maria kauft auf dem Flohmarkt ...* |
| Foto 2 | *Maria ...* |

<u>**3**</u>   **Stellen Sie einige Geschichten im Kurs vor.**

60-67 🔲 <u>**4**</u>   **Sehen Sie die Fotos an und hören Sie.**

<u>**5**</u>   **Vergleichen Sie Ihre Geschichte mit der Hörgeschichte.
Notieren Sie die Unterschiede.**

	Meine Geschichte	Die Hörgeschichte
Foto 1	*Maria kauft auf dem Flohmarkt eine Kuckucksuhr.*	√
Foto 2	*Maria schenkt Susanne die Uhr.*	*zeigt*

A1 **Hören Sie noch einmal und ergänzen Sie.**

● Hier, für Päckchen .... diese Formulare benutzt.
Und hier müssen Sie den Absender reinschreiben.

▲ Aha ... und den Empfänger?

● Hier .... die Adresse reingeschrieben. Sehen Sie? Hier.

Passiv	
wird	reingeschrieben
werden	

Die Adresse **wird reingeschrieben**. = **Man** schreibt die Adresse rein.

A2 **Ein Brief ist unterwegs: Ordnen Sie zu und ergänzen Sie dann.**

 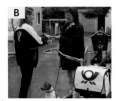 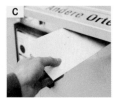  

C Der Brief *wird* eingeworfen. ☐ Danach .... sie transportiert.

☐ Der Briefkasten .... geleert. ☐ Der Brief .... zum Empfänger gebracht.

☐ Dann .... die Briefe sortiert.

A3 **Lesen Sie und lösen Sie das Quiz.**

Wir bleiben in Kontakt, ja?

Aber sicher! Mit den modernen Kommunikationsmitteln ist das so einfach wie nie zuvor. Per Handy oder Internet erreicht man seinen Gesprächspartner in Sekunden – im Haus nebenan oder auf einem anderen Kontinent. Deshalb nützen auch viele Menschen in Deutschland die neuen Technologien. Wie viele? Testen Sie Ihr Wissen mit unserem kleinen Quiz!

1 Wie viele Briefsendungen werden täglich verschickt? **A** ☒ 72 Millionen. **B** ☐ 18 Millionen.

2 Wie lange ist ein Brief durchschnittlich unterwegs? **A** ☐ 2,30 Tage. **B** ☐ 1,06 Tage.

3 Seit wann gibt es das Telefon? Und das Handy? **A** ☒ 1877 und 1983. **B** ☐ 1867 und 1956.

4 In welchem Alter erhalten Kinder im Durchschnitt ihr erstes Handy? **A** ☒ Mit 9,7 Jahren. **B** ☐ Mit 12,2 Jahren.

5 Wie viele Kurzmitteilungen per Handy (SMS) werden jährlich verschickt? **A** ☒ Ca. 24 Milliarden. **B** ☐ Ca. 24 Millionen.

6 Seit wann gibt es das „WWW"? **A** ☐ Seit 1984. **B** ☒ Seit 1993.

7 Wie viele E-Mails werden weltweit jährlich verschickt? **A** ☐ Ca. 10 Milliarden. **B** ☒ Ca. 1000 Milliarden.

Auflösung: 1 A / 2 B / 3 A / 4 A / 5 A / 6 B / 7 B

A4 **Kursstatistik: Wie viele Briefe, SMS, E-Mails ... im Monat?**

a Sprechen Sie in Gruppen.

● Vladimir, wie viele SMS verschickst du im Monat?
▲ Gar keine! Ich habe kein Handy.
■ Maureen, wie viele Briefe schreibst du im Monat?

	Briefe	SMS	E-Mails	surft im Internet
Vladimir	1	0	28	
Maureen	2-3			

b Fragen und antworten Sie im Kurs.

Wie viele E-Mails werden in eurer Gruppe im Monat verschickt? | Ungefähr 95. | Und wie viele ...

69 **B1** **Hören Sie noch einmal und variieren Sie.**

■ Ist die Uhr in Ordnung?
● Die alte Kuckucksuhr? – Natürlich.

Varianten:
der alt... Computer ● das alt... Radio ● die alt... Kameras

Nominativ		
der	**alte**	Computer
das	**alte**	Radio
die	**alte**	Uhr
die	**alten**	Kameras

70–75 **B2** **Hören Sie und ergänzen Sie.**

1
Der neu..... Katalog mit den
aktuell.... Modellen ist da!
Unter www.bum.de kriegen
Sie einfach alles!

2
Die verrückt.....
Handytaschen von
Diana unter www.diana.de
einfach anklicken und bestellen

3
Schluss mit Langeweile –
kaufen Sie jetzt den digital.......
DVD-Player Michiko 502.

4
Mit dem neu.... *Handy*
von listex ist alles möglich.
Und bei uns müssen Sie keinen
teuren Vertrag abschließen ...

5
Die multifunktional.....
Kamera Olyion XC passt
in jede Handtasche. Auch in Ihre!
Heute bestellt – morgen geliefert!

6
Besorgen Sie sich den neu..... Computer
von **Spirit 05** – ohne ihn geht nichts mehr
in der modern..... Bürokommunikation.

	Akkusativ					Dativ	
	den	**neuen**	DVD-Player		dem		DVD-Player
Kaufen Sie	das	**neue**	Handy	mit	dem	**neuen**	Handy
	die	**neue**	Kamera		der		Kamera
	die	**neuen**	Handytaschen		den		Handytaschen

B3 **Was gefällt Ihnen? Wie finden Sie …? Sprechen Sie mit Ihrer Partnerin / Ihrem Partner.**

Streifen
Punkte

Mir gefällt das blaue Handy
mit den gelben Punkten.

Ich finde die alten
Telefone sehr schön.

Ich finde den grünen Computer
mit dem großen Bildschirm gut.

Ich …

C1 Sehen Sie das Bild an. Was meinen Sie? Sprechen Sie.

Was für	einen	Beruf?
	ein	Buch?
	eine	Freundin?
	–	Pläne?

- Was für einen Beruf hat Julian Heine?
- Was für Hobbys hat er?
- Was für Pläne hat er?
- Was für Freunde hat er?
- Wie finden Sie Julian Heine?

CD 1 76-81

C2 Hören Sie Julians Nachrichten auf dem Anrufbeantworter und ergänzen Sie die Notizen. Waren Ihre Vermutungen aus C1 richtig?

1 *Konsulat*
Visum beantragen → ....
Nicht vergessen:
Ausweis verlängern!!!

2 *ITKO !!!!*
Vorstellungsgespräch:

Handy Herr Kohlmeier:
....

3 *Praxis* **Dr. Camerer** *anrufen!*
Termine verschoben!
Untersuchung: 3.5. um ....
Grippeimpfung: 1.5. um 8 Uhr

4 → **Andreas:** *Handball heute,*
18 Uhr am ....
Isabel ist auch dabei!!! ☺

5 *Reinigung*
Neue Adresse ab 1.10.:
....

6 *Evi* ♥
zurückrufen unter
....

CD 1 82

C3 Julian ruft Evi an. Ordnen Sie zu. Hören Sie dann und vergleichen Sie.

1 dass das ganz bestimmt nicht wieder vorkommt! ● **2** Ich konnte nicht, weil ich so lange arbeiten musste. ● **3** Es tut mir schrecklich leid, dass ich gestern nicht gekommen bin. ● **4** Ich wollte dich ja anrufen, aber mein Handy war kaputt. ● **5** eigentlich ist mir das ganz egal! ● **6** hör mir nur noch kurz zu! ● **7** Wirklich?

Hallo, Evi. Hier ist Julian. — Ach, hallo!

[3] — Ach so?

☐ — Nicht zu glauben!

☐ — Ach ja? Wolltest du? ☐

Bist du sehr böse? — Ach weißt du, ☐

Was? — Du, ich muss jetzt Schluss machen!

Ach, Evi, bitte ☐ — Julian, ich habe gestern zwei Stunden auf dich gewartet, verstehst du, zwei Stunden!

Evi! Ich verspreche dir, ☐ — Tschüs! Ich bin doch nicht blöd!

C4 Spielen Sie Telefongespräche. Verwenden Sie die Redemittel aus C3.

Sie konnten nicht mit Ihrer Freundin ins Kino gehen. Sie hatten Schnupfen.

Sie sind ziemlich sauer: Sie haben für Ihren Freund eine Karte gekauft und waren allein im Kino.

Sie waren mit einem Freund in einer Kneipe verabredet. Sie hatten aber keine Lust und suchen eine Ausrede.

Sie waren allein in der Kneipe und haben sich furchtbar gelangweilt.

83

D1 **Klingeltöne**

a Hören Sie die Klingeltöne. Welcher gefällt Ihnen am besten?

b Haben Sie selbst ein Handy? Welchen Klingelton hat es? Spielen Sie ihn vor.

D2 **Lesen Sie den Test und kreuzen Sie an.**

Welcher „Handytyp" sind Sie?

In der Bahn, in der Kneipe, auf der Straße, pausenlos klingelt es. Ihre Freundin telefoniert beim romantischen Abend zu zweit, man kann Sie überall erreichen … Sind Sie genervt? Oder lässt es Sie kalt? Sind Sie der Handy-Freak oder eher der Handy-Hasser? Das sagt Ihnen unser Test!

	stimmt	stimmt teilweise	stimmt nicht
1 Ohne mein Handy gehe ich nirgends hin.	3	2	1
2 Ich warte ständig auf einen Anruf oder auf eine Nachricht.	3	2	1
3 Ich benutze mein Handy nur im Notfall.	1	2	3
4 Ich schicke gerne Kurznachrichten, weil ich damit Zeit spare.	3	2	1
5 Im Restaurant: Meine Freundin / Mein Freund wird angerufen und telefoniert eine Weile. Das finde ich unmöglich.	1	2	3
6 In der Straßenbahn: Neben mir sitzt ein Mann. Er telefoniert sehr laut. Ich finde das ziemlich unangenehm.	1	2	3
7 Auf einer Geburtstagsfeier: Ich unterhalte mich mit einem Gast. Plötzlich klingelt sein Telefon. Er entschuldigt sich und telefoniert. Das stört mich nicht.	3	2	1

pausenlos
=
ohne Pause

unangenehm
=
nicht angenehm

D3 **Wie viele Punkte haben Sie? Lesen Sie nun Ihre Auflösung.**

◾ 18 – 21 Punkte: **Der Handy-Freak!**
Sie können ohne Ihr Handy nicht leben. Schon morgens, wenn Sie aufstehen, schalten Sie Ihr Handy an und schreiben Ihre erste SMS. Manchmal merken Sie nicht, dass Sie Ihre Mitmenschen stören. Ein Gespräch unter vier Augen tut Ihnen und Ihren Freunden sicherlich mal wieder gut – und Ihrem Portemonnaie auch.

◾ 10 – 17 Punkte: **Der Handy-Normalo!**
Nicht zu viel und nicht zu wenig! Sie telefonieren gerne, freuen sich auch mal über eine Kurzmitteilung. Aber Sie treffen genauso gern Ihre Freunde und reden mit ihnen.

◾ 7 – 9 Punkte: **Der Handy-Hasser!**
Handys sind für Sie ziemlich schlimm. Sie finden: Früher konnte man doch auch ohne Handy leben! Sicher! Sehen Sie aber auch die positiven Seiten. Und: Seien Sie doch tolerant mit Ihren Mitmenschen.

D4 **Passt das Ergebnis zu Ihnen? Diskutieren Sie.**

> Also, der Test sagt, ich bin der Handy-Freak. Das stimmt. Ich telefoniere wirklich sehr gerne mit dem Handy.

> Mein Ergebnis …

E1   **Vorurteile?**

Was meinen Sie? Welcher Satz ist von einem Mann (M), welcher von einer Frau (F)?
Oder kann man diese Frage nicht beantworten?

☐ Liebling, bei Arcor gibt es jetzt eine neue Flatrate. ☐ Du kannst einfach besser Auto fahren als ich.
☐ Mama, ich ruf nur an, weil ich ein bisschen mit dir reden will. ☐ Ich möchte nicht schon wieder
über unsere Beziehung sprechen.

E2   **Frauensprache – Männersprache**

a   Lesen Sie die Einleitung und die Überschriften. Was meinen Sie? Was passt: „Männer" oder „Frauen"?
Ergänzen Sie.

b   Lesen Sie den ganzen Text. Stimmen Ihre Vermutungen?

Er + Sie = Missverständnis

**Sprechen Männer und Frauen nicht dieselbe Sprache? Zu diesem Thema gibt es
viele Meinungen, Untersuchungen und Theorien. Ein paar Beispiele? Bitteschön:**

    Männer   *sprechen über Fakten,*   *über Menschen*

5   Eine Befragung von Männern und Frauen hat gezeigt: *Er* spricht am liebsten über seinen Beruf,
über Musik, Nachrichten und Sport. *Ihre* Lieblingsthemen sind vor allem Beziehungen, Familie,
Gesundheit und Ernährung.

        reden mehr als

Mit Hilfe von Tests hat man herausgefunden, dass Frauen fast doppelt so viel reden wie Männer.
10   Schon bei Kindern zeigt sich dieser Unterschied, zum Beispiel in Konfliktsituationen. Während die
meisten Mädchen versuchen, den Streit im Gespräch zu lösen, gebrauchen manche Jungs schnell
mal ihre Fäuste.

        sprechen eher indirekt,   *eher direkt*

Wenn *Sie* auf einer Konferenz sagt: „Oh, ganz schön kalt hier!", dann soll das eigentlich heißen:
15   „Seid ihr einverstanden, dass wir die Fenster schließen?". Bei *Ihm* klingt das anders: „Hey, macht
mal jemand die Fenster zu!?". Männer fordern oft direkt auf, wo Frauen nur indirekte Bitten aus-
sprechen.

        sind im Gespräch eher kooperativ

Sie redet ihre Gesprächspartner immer wieder mal mit dem Namen an, stellt viele Fragen und
20   möchte oft einfach nur im Gespräch bleiben. Wenn *Er* mal was fragt, geht es meist nicht um
Kommunikation, sondern nur um Information. *Er* unterbricht auch öfter oder lässt den anderen gar
nicht reden.

Wie gesagt: das sind alles nur Theorien. Sie haben da sicher Ihre eigene Meinung. Wie bitte?
Was sagen Sie? Na, das ist ja mal wieder typisch *Mann / Frau* ! [Nichtzutreffendes streichen]

E3   **Lesen Sie noch einmal: Steht das im Text? Kreuzen Sie an: richtig oder falsch?**

                                                           richtig   falsch

a   Eine Befragung von Männern hat gezeigt, dass Frauen
mehr über Beziehungen reden als Männer.   ☐   ☐

b   Mädchen streiten nicht anders als Jungen.   ☐   ☐   befragen →

c   Frauen sagen deutlich, was sie möchten.   ☐   ☐   die Befragung

d   Männer stellen weniger Fragen als Frauen.   ☐   ☐

E4   **Und wie ist Ihre Meinung? Erzählen Sie von Ihren Erfahrungen.**

Sprechen Ihre Freundinnen über andere Themen als Ihre Freunde? ● Sprechen Sie selbst mit Frauen
über andere Themen als mit Männern? ● Reden Frauen mehr als Männer? Wenn ja, wann und wo? ●
Streiten kleine Mädchen anders als kleine Jungen? ● Sagen Sie Ihre Meinung eher direkt oder indirekt?

Grammatik

1 Passiv: Präsens

		werden		Partizip
Singular	er/es/sie	wird	...	geschrieben
Plural	sie	werden	...	benutzt

Die Adresse **wird** hier **reingeschrieben.** = **Man** schreibt die Adresse hier rein.
Die Formulare **werden** für Päckchen **benutzt.** = **Man** benutzt die Formulare für Päckchen.

2 Adjektivdeklination: bestimmter Artikel

	Nominativ			Akkusativ			Dativ		
maskulin	der	**alte**	Computer	den	**alten**	Computer	dem	**alten**	Computer
neutral	das	**alte**	Radio	das	**alte**	Radio	dem	**alten**	Radio
feminin	die	**alte**	Uhr	die	**alte**	Uhr	der	**alten**	Uhr
Plural	die	**alten**	Radios	die	**alten**	Radios	den	**alten**	Radios

3 Frageartikel: *Was für ein ...?*

	Nominativ			Akkusativ		
maskulin	Was für	**ein**	Beruf?	Was für	**einen**	Beruf?
neutral		**ein**	Buch?		**ein**	Buch?
feminin		**eine**	Freundin?		**eine**	Freundin?
Plural		–	Pläne?		–	Pläne?

4 Wortbildung

Adjektiv (positiv +) ➜ Adjektiv (negativ –)		Nomen ➜ Adjektiv		Verb ➜ Nomen	
angenehm	unangenehm	die Pause	pausenlos	befragen	die Befragung
möglich	unmöglich		= ohne Pause		

Wichtige Wendungen

Kommunikation

einen Brief / ein Päckchen / eine Kurzmitteilung / eine SMS / ...
verschicken • im Internet surfen • den Absender / den Empfänger /
die Adresse reinschreiben • einen Brief einwerfen • auf einen Anruf /
eine Nachricht warten • es klingelt

Zweifel ausdrücken

Wirklich? •
Nicht zu glauben! •
Ach ja? •
Ach so?

sich entschuldigen

Es tut mir schrecklich leid, dass ... • Ich konnte nicht ..., weil ... •
Ich wollte ..., aber ... • Das kommt ganz bestimmt nicht wieder vor! •
Bist du sehr böse? • Ich verspreche dir, ... •

Strategien

Ich muss jetzt Schluss machen. •
Ich habe zwei Stunden gewartet, verstehst du, zwei Stunden.

Weg mit dem „un"!

1. Strophe

Ich fühle mich so unverstanden,
unglücklich und unzufrieden ...
Oh, das tut mir leid!
... und dabei so unselbstständig,
unsicher und unentschieden ...
Na, da wird es Zeit ...

Refrain

Sie fragen sich nun:
Was kann man da tun?
Sehen Sie: So wird das gemacht!
Weg mit dem „un"!
Einfach weg mit dem „un"!
Das geht viel leichter als gedacht.

2. Strophe

Das Zimmer hier ist unbequem
und unfreundlich und ungemütlich ...
Oh, das tut mir leid!
... unsauber, unaufgeräumt, wirklich
sehr unappetitlich!
Da wird es aber Zeit ...

CD 1 | 84

Hören Sie das Lied
und singen Sie mit.

Refrain

Weg mit dem „un"!
Weg mit dem „un"!
Es geht viel leichter als gedacht.
Weg mit dem „un"!
Einfach weg mit dem „un"!
Sehen Sie: So wird das gemacht!

3. Strophe

Mein Schwiegersohn ist unvorsichtig,
unhöflich und unerzogen ...
Oh, das tut mir leid!
... unordentlich und unpünktlich,
aus jeder Arbeit rausgeflogen!
Na, da wird es Zeit ...

4. Strophe

Dieses Lied ist unnötig und
unpassend und unmodern ...
Oh, das tut mir leid!
... und überhaupt uninteressant!
Ich sing es wirklich ungern!
Nun wird es aber Zeit ...

FOLGE 11: *MÄNNER!*

<u>1</u>   Was fällt Ihnen zum Thema „Auto" ein? Sammeln Sie.

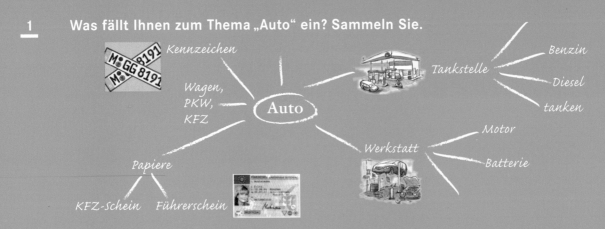

Kennzeichen

Wagen, PKW, KFZ

Auto

Papiere

KFZ-Schein   Führerschein

Tankstelle

Benzin

Diesel

tanken

Motor

Werkstatt

Batterie

CD 2 02-09   <u>2</u>   Sehen Sie die Fotos an und hören Sie.

3 Warum ist Susanne sauer auf Kurt? Was ist richtig? Kreuzen Sie an.

a Er geht ohne Handy joggen. Susanne hat Angst, dass sie vielleicht ein Problem mit dem Baby hat. ☐

b Er bringt den Wagen nie in die Werkstatt. Deshalb ist der Wagen jetzt kaputt. ☐

c Susanne ist für ein neues Auto. Aber Kurt ist dagegen. ☐

d Er hat nicht getankt. ☐

e Er will ihr keinen Schokoriegel kaufen. ☐

f Er meint, dass Susanne besser auf das Baby aufpassen sollte. ☐

4 Erzählen Sie die Geschichte mit Ihren Worten.

Kurt möchte joggen gehen. Susanne möchte, dass … . Aber Kurt …

Plötzlich … . Maria und Susanne fahren …

Auf der Fahrt geht es Susanne wieder besser.

Aber dann stellt Maria fest, dass … . Also fahren Maria und Susanne zur Tankstelle.

Sie tanken und wollen bezahlen. Aber leider … . Kurt ist gerade aus dem Park gekommen und hat …

Er bezahlt.

A1 Welches Foto passt? Ordnen Sie zu.

1 ☐ ● Ist Kurt nicht da?
▲ Nein, er ist gerade aus dem Haus gegangen.

2 ☐ ▲ Oh je, wo kommst du denn her?
▼ Vom Zahnarzt, das sieht man doch.

⬆︎➡		⬇︎	
aus	dem Haus	im	Haus
vom	Zahnarzt	beim	Zahnarzt

CD 2 10

A2 Wo oder woher? Hören Sie und ergänzen Sie.

a Hier kommt jemand …*vom Frisör*………… .

b Hier liegt jemand ……………………………………… .

c Hier ist jemand ……………………………………… .

d Hier arbeitet jemand ……………………………………… .

e Hier nimmt jemand die Post ……………………… .

f Hier steigt jemand ……………………………… .

A3 Woher, wo, wohin? Sehen Sie das Bild an und beschreiben Sie.

■ Schau, hier fährt eine
Frau aus der Garage.

● Ja, und hier – die
Schule ist aus.
Die Kinder …

Wiederholung

⬆︎➡	⬇︎	➡⬜
aus der Schule	**in** der Schule	**in die / zur** Schule
vom Zahnarzt	**beim** Zahnarzt	**zum** Zahnarzt

A4 Spiel: Pantomime

Spielen Sie in zwei Gruppen.
Gruppe A schreibt
Anweisungen für Gruppe B
und umgekehrt.
Jede/r spielt ihrer/seiner
Gruppe eine Anweisung
pantomimisch vor.
Die anderen raten.

> Woher? Wohin?
> Du kommst
> von einem Fest.
> Du gehst zum
> Arzt.

> Du kommst
> vom Frisör.

> Nein, du
> kommst von
> einer Party!

B1 Ordnen Sie zu und ergänzen Sie dann die Präpositionen.

A   C   E   G

....

B   D   F

..durch.........   ....

⌐B⌐ Wir müssen direkt durch das Zentrum fahren.
☐ Da kommen wir übrigens auch am Mozartplatz vorbei.
☐ Du fährst bis zur nächsten Kreuzung. Da musst du links abbiegen.
☐ Und jetzt geradeaus über die Brücke da.
☐ Nach der Brücke fahren wir das Flussufer entlang.
☐ Die nächste Tankstelle? Bei uns zu Hause, gegenüber der Kirche.
☐ Wir müssen fast ganz um den Kreisverkehr herum und dann abbiegen.

um den Kreisverkehr (herum)
durch das Zentrum
über die Brücke
das Flussufer **entlang**

bis zur Kreuzung
am Mozartplatz vorbei
gegenüber der Kirche

B2 Hören Sie und markieren Sie den Weg im Stadtplan.

B3 Schreiben Sie eine Antwort auf die E-Mail.

Betreff: [   ]

Hallo Roland,
danke für die Einladung zu Deiner Geburtstagsfeier.
Ich komme gern. Schreibst Du mir bitte noch,
wie ich am besten zu Dir komme?
Viele Grüße von Matthias

immer die B304 entlangfahren ●
durch drei Orte kommen ● in Reitmehring
über das Bahngleis fahren ● dann links
abbiegen ● geradeaus weiter fahren
bis zum Bahnhof in die Hauptstraße ●
Hausnummer 9 ist gegenüber dem Bahnhof

Lieber Matthias,
schön, dass Du kommst. Pass auf, Du fährst am besten immer die B304 entlang. Du kommst ...

B4 Erklären Sie Ihrer Partnerin / Ihrem Partner den Weg vom Kursort zu Ihnen nach Hause.

● Ich wohne nicht weit von der Sprachenschule. Du nimmst den Bus Nummer 610 und fährst bis zur Haltestelle „Saarstraße". Du gehst die Saarstraße entlang und an der Ecke nach rechts in die Luisenstraße. Nach circa 200 Metern siehst du schon ein rotes Haus. Da wohne ich.

CD 2 12 ▸▸   **C1**   **Ordnen Sie zu. Hören Sie dann und vergleichen Sie.**

a   Der Wagen ist zu alt.   Deshalb müssen wir weiter mit diesem hier zurechtkommen.
b   Ständig ist er kaputt.   Deshalb müssen wir ihn ja dauernd in die Werkstatt bringen.
c   Aber Kurt sagt, wir haben   Ich bin deshalb schon lange für einen neuen.
      kein Geld für ein neues Auto.

> **Deshalb** bin ich schon lange für einen neuen.
> Ich bin **deshalb** schon lange für einen neuen.

C2   **Lesen Sie den Text und notieren Sie.**

Was sollten Sie an Ihrem Fahrrad prüfen? *Bremsen, ...*

Sicherheits-Check für Ihr Fahrrad

1   Im Straßenverkehr muss man oft plötzlich bremsen. Deshalb müssen die Bremsen
einwandfrei funktionieren.

2   Schlechte Reifen verlängern den Bremsweg – vor allem auf einer nassen
und glatten Straße. Wechseln Sie deshalb auf jeden Fall alte Reifen.

3   In der Nacht müssen Radfahrer gut erkennbar sein. Prüfen Sie also die
Vorder- und Rücklichter regelmäßig.

4   Achtung: Wer Fußgänger oder andere Radfahrer überholt, sollte klingeln.
Die Klingel muss deshalb gut erreichbar sein und natürlich auch funktionieren.

5   Pannen lassen sich oft nicht vermeiden. Deshalb sollten Sie immer Werkzeug
dabeihaben.

> Sie sind erkennbar. =
> Man **kann** sie erkennen.

C3   **Lesen Sie den Text aus C2 noch einmal und sammeln Sie Gründe:**
Was ist für die Sicherheit im Straßenverkehr wichtig und warum?
Erklären Sie.

> *Man muss oft plötzlich bremsen* ➜ *Bremsen müssen funktionieren*
> *Bremsweg lang, wenn Reifen alt* ➜ *Reifen wechseln*

● Die Bremsen müssen funktionieren, weil man oft plötzlich bremsen muss.
▲ Der Bremsweg ist lang, wenn die Reifen alt sind. Deshalb muss man alte Reifen wechseln.

> Die Bremsen müssen funktionieren, **weil** man oft plötzlich bremsen muss.
>   =
> Oft muss man plötzlich bremsen. **Deshalb** müssen die Bremsen funktionieren.

C4   **Erzählen Sie.**

■ Haben Sie oder hatten Sie schon einmal ein Fahrrad? | Ich hatte schon zwei Unfälle mit dem Rad.
■ Wie oft fahren Sie mit dem Rad? Fahren Sie   Deshalb fahre ich jetzt immer mit Helm!
     damit zur Arbeit, zum Einkaufen, ...?
■ Machen Sie regelmäßig einen Sicherheits-Check?   Und ich ...
■ Fahren Sie mit oder ohne Helm?

D1   **Ordnen Sie zu.**

Eis ● Schnee ● Nebel ● Sonnenschein ● Gewitter

....

D2   **Wie ist das Wetter? Ordnen Sie zu.**

gewittrig ● stürmisch ● regnerisch ● eisig ● sonnig ● windig ● wolkig ● neblig

a   *stürmisch*.................. und ....

Dresden – Sturm und Eis haben gestern den Verkehr in einigen Teilen Deutschlands lahmgelegt. In der Nacht war die Autobahn A2 zwischen Porta Westfalica und Bad Eilsen komplett gesperrt. Die Autofahrer mussten stundenlang in ihren Wagen warten.

b   ...., ..., ... und ....

Die Aussichten für das Wochenende: Am Samstag kommen von Nordwesten immer mehr Wolken. Gegen Abend gibt es zum Teil kräftige Gewitter und es weht ein böiger Wind. Auch am Sonntag Regenschauer und kühl.

c   ....

Hamburg hat eine neue U-Bahn! Bei strahlendem Sonnenschein hat der Bürgermeister am vergangenen Samstag die neuen roten Wagen eingeweiht. Die Einwohner Hamburgs konnten die neue U-Bahn das ganze Wochenende kostenlos benutzen.

d   ....

Dichter Nebel verhindert Starts und Landungen am Flughafen Köln-Bonn. Bereits gestern konnten wegen des schlechten Wetters mehr als 20 Maschinen weder starten noch landen. Die Flieger mussten auf den Flughafen Düsseldorf ausweichen.

der Sturm → stürmisch
der Regen → regnerisch
das Eis → eisig
der Nebel → neblig

Warum?
Wegen ...

D3   **Verkehrsnachrichten. Hören Sie und kreuzen Sie an: richtig oder falsch?**

3-17

		richtig	falsch
1	Es ist sehr neblig. Deshalb gibt es Stau auf der Autobahn.	☐	☐
2	Tiere sind auf der Straße. Deshalb soll man besonders vorsichtig fahren.	☐	☐
3	Die U6 fährt nachts nicht mehr bis zur Endstation. Man kann aber einen Bus nehmen.	☐	☐
4	Ein LKW blockiert die A4 zwischen Bad Hersfeld und Friedewald in Richtung Dresden.	☐	☐
5	In Frankfurt haben alle S-Bahnen Verspätung, weil es so stark schneit.	☐	☐

E1 Lesen Sie die Überschrift und sehen Sie die Fotos an. Warum ist auf jedem Foto dieselbe Person abgebildet? Was meinen Sie?

Sie sind das Problem Nr. 1:
Die Anderen

Straßenverkehr könnte so schön sein, was? Aber leider sind wir ja meistens nicht allein unterwegs. Da sind auch noch diese schrecklichen anderen Verkehrsteilnehmer. Und die haben alle nur ein einziges Ziel: Sie wollen uns ärgern. Sagen Sie doch mal, wer nervt Sie dabei am meisten?

Die Radfahrer. Für die gibt's ja
5 überhaupt keine Regeln, oder?
Eine Einbahnstraße? Das kennen die gar nicht. Die fahren
einfach, wie sie wollen. Und
die Fußgänger! Die sind ja
10 schon wütend, wenn du nur mal
fünf Minuten auf dem Gehweg
parkst. Wo soll ich denn sonst
parken? Es gibt doch fast keine
Parkplätze hier.

15 Mich nerven vor allem die
Fußgänger. Die passen nicht
auf. Immer laufen sie einem
direkt vors Rad. Deshalb muss
ich auch dauernd bremsen. Und
20 auch die Autofahrer! Die parken ein und dann machen sie
einfach die Tür auf. Nach hinten gucken sie natürlich nicht.
Für Radfahrer ist das echt
25 supergefährlich!

Na, da sind erst mal diese rück-
sichtslosen Autofahrer. Also,
die machen mich richtig krank.
Die parken einfach auf unseren
30 Gehwegen! Und die Radler
nerven auch. Die fahren mit 30
km/h durch unsere Fußgängerzone. Stellen Sie sich das mal
vor! Da sind doch Kinder und
35 alte Leute! Aber das ist denen
ja egal.

E2 Lesen Sie nun den ganzen Text und ergänzen Sie die Tabelle.

Wer nervt?	Radfahrer	Fußgänger	Autofahrer
Warum?	kennen keine Regeln (z.B. Einbahnstraßen)	Auto parkt 5 Minuten auf Gehweg →gleich wütend	

E3 Was nervt Sie am meisten im Straßenverkehr?

a Sammeln Sie gemeinsam weitere Situationen.
b Ihre Meinung?

- Was finden Sie besonders schlimm? Was finden Sie nicht so schlimm?
- Was machen Sie, ehrlich gesagt, auch manchmal?
- Halten Sie sich immer an die Verkehrsregeln?

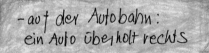

-auf der Autobahn: ein Auto überholt rechts

Also, wenn kein Auto kommt, dann gehe ich schon mal bei Rot über die Ampel. Das ist doch nicht so schlimm, oder?

Grammatik

1 Dativ: lokale Präpositionen auf die Frage „Woher?"

Woher kommt Frau Graf?	*aus* + Dativ	*von* + Dativ
Sie kommt ...	aus dem Supermarkt	vom Arzt
	aus dem Haus	von ihrem Enkelkind
	aus der Post	von der Ärztin

2 Lokale Präpositionen

mit Akkusativ

maskulin	durch den Park	den Park entlang	über den Platz	um den Kreisverkehr (herum)
neutral	durch das Zentrum	das Ufer entlang	über das Gleis	um das Zentrum (herum)
feminin	durch die Stadt	die Straße entlang	über die Brücke	um die Stadt (herum)
Plural	durch die Straßen	die Gleise entlang	über die Gleise	um die Häuser (herum)

mit Dativ

maskulin	bis zum	Kreisverkehr	am	Mozartplatz	vorbei	gegenüber dem Bahnhof
neutral	bis zum	Kaufhaus	am	Kino	vorbei	gegenüber dem Kino
feminin	bis zur	Kreuzung	an der	Tankstelle	vorbei	gegenüber der Kirche
Plural	bis zu den	Gleisen	an den	Häusern	vorbei	gegenüber den Garagen

auch: dem Bahnhof gegenüber

3 Konjunktion: *deshalb*

		Position 2		
Oft muss man plötzlich bremsen.	**Deshalb**	müssen	die Bremsen	funktionieren.
	Die Bremsen	müssen	**deshalb**	funktionieren.

4 Wortbildung

Verb	→ Adjektiv		Nomen	→ Adjektiv
erkennen	erkennbar		der Sturm	stürmisch
			das Eis	eisig

Wichtige Wendungen

den Weg beschreiben

Sie nehmen den Bus / die U-Bahn und fahren bis zur Haltestelle ... •
Sie gehen die ...straße entlang. • Sie fahren geradeaus bis ... •
Nach 200 Metern sehen Sie ... • Da / An der Ecke müssen Sie links/rechts abbiegen. •
Sie fahren bis zur nächsten Kreuzung. • Sie müssen direkt durch das Zentrum fahren. •
Und dann geradeaus über die Brücke da. • Nach der Brücke fahren Sie das Ufer
entlang. • Sie kommen auch am ...platz vorbei.

Strategien

Stellen Sie sich das mal vor! •
..., was? •
Sagen Sie doch mal, ...

,Deutschland ist das Traumland für Autofahrer', haben Sie in einer Zeitschrift gelesen. *,Auf deutschen Autobahnen darf man so schnell fahren, wie man möchte.'* Das wollen Sie nun selbst mal ausprobieren. Deshalb fliegen Sie nach Frankfurt am Main, mieten dort ein schnelles Auto und fahren auf die Autobahn A 5.

Hier ist viel Verkehr und das Auto vor Ihnen fährt nicht schneller als 120 km/h. Sie möchten gerne überholen, aber der Typ da vorne will einfach nicht von der linken Fahrbahn nach rechts rüber. Was tun?

a „Ich gebe einfach Gas und überhole auf der mittleren Spur."

b „Ich warte, bis ich endlich überholen kann."

c „Ich fahre auf 10 Meter an ihn ran und zeig' ihm mit den Lichtern, dass er mich sofort vorbeilassen soll."

Die ganze Zeit ist sehr viel Verkehr. Sie können nie schneller als 100 km/h fahren. Kurz nach Hannover ist die Autobahn aber plötzlich frei. Was machen Sie?

d „Jetzt will ich wissen, wie schnell dieses Auto ist. Hey, 240 km/h!"

e „Ich freue mich und fahre 150 km/h."

f „Ich höre Musik und bleibe bei 100 km/h."

Sie sind gerade an Hamburg vorbeigekommen und merken, dass Sie bald tanken müssen. Deshalb fahren Sie bei der nächsten Tankstelle raus. Dort gibt es auch Getränke und Ihnen fällt ein, dass Deutschland die Heimat berühmter Biere ist. Was tun Sie?

g „Ich probiere ein kleines Bier und fahre weiter."

h „Ich mag kein Bier. Ich trinke lieber Cola."

i „Ich probiere ein Bier. Es schmeckt fantastisch. Nach vier Bieren fahre ich weiter."

Es wird Abend und Sie haben das nördlichste Ende von Deutschland erreicht. Nur noch 15 Kilometer, dann sind Sie in Flensburg. Sollten Sie nicht kurz mal zu Hause anrufen? Ihre Familie möchte doch sicher wissen, wo Sie sind, oder?

j „Ja, richtig! Ich rufe gleich vom Auto aus an. Mein Handy hab' ich ja dabei!"

k „Nein, ich rufe lieber später vom Hotel aus an."

l „Ach, meine Familie ist froh, wenn ich mal nicht anrufe."

Lesen Sie alle Texte und machen Sie den Test. Können Sie den Führerschein behalten?

a 3 Punkte (rechts überholt außerhalb einer Ortschaft)	**g** 0 Punkte	**f** 0 Punkte
b 0 Punkte	**h** 0 Punkte	**e** 3 Punkte (26 bis 30 km/h zu schnell gefahren)
c 4 Punkte (Abstand zum Vordermann weniger als 2/10 des halben Tachowerts)	**i** 4 Punkte (gefahren mit mehr als 0,5 Promille Alkohol im Blut)	**d** 4 Punkte (mehr als 70 km/h zu schnell gefahren)
	j 1 Punkt (Handy beim Autofahren in der Hand gehabt)	
	k 0 Punkte	
	l 0 Punkte	

Flensburg

Flensburg
- hat 85.000 Einwohner
- ist die nördlichste deutsche Hafenstadt und die drittgrößte Stadt des Bundeslandes Schleswig-Holstein
- hat eine große dänische Minderheit (etwa ein Viertel der Flensburger gehört dazu)

Hamburg
- ist mit 1.745.000 Einwohnern die zweitgrößte Stadt Deutschlands
- ist ein eigenes Bundesland
- hat den größten deutschen Seehafen

Hamburg

Hannover

Hannover
- hat 516.000 Einwohner
- ist die Hauptstadt und die größte Stadt des Bundeslandes Niedersachsen

Jeder deutsche Autofahrer kennt Flensburg. Mit Hilfe der Polizei sammelt das deutsche *Verkehrszentralregister* dort seit 1958 Informationen. Wer die Verkehrsregeln nicht beachtet und sehr gefährliche Dinge macht, der bekommt Punkte. Wie viele, das steht im *Bußgeldkatalog*. Mit 18 Punkten in Flensburg muss man den Führerschein abgeben und bekommt ihn nur wieder, wenn man eine medizinisch-psychologische Prüfung besteht. Die deutschen Autofahrer nennen das ‚*den Idiotentest*'.

Deutschland – ein Traumland für Autofahrer? Nach Ihrer Fahrt von Frankfurt nach Flensburg haben Sie dazu sicher eine eigene Meinung. Ach übrigens: Haben Sie eigentlich schon ‚Punkte in Flensburg'? Nein? Sie könnten aber welche haben. Drehen Sie doch mal das Buch um und sehen Sie selbst nach!

Frankfurt

Frankfurt am Main
- hat 660.000 Einwohner (mehr als ein Viertel davon sind Ausländer)
- ist die größte Stadt des Bundeslandes Hessen und die fünftgrößte Stadt Deutschlands
- hat den größten deutschen Flughafen
- ist Sitz der Europäischen Zentralbank und überhaupt ‚die Bankenstadt' Deutschlands

FOLGE 12: *REISEPLÄNE*

---

1   **Sehen Sie Foto 1 an. Wer sagt was? Was meinen Sie? Kreuzen Sie an.**

	Kurt	Simon	Larissa
a Wir fahren an den Atlantik. Da gibt es tolle Wellen. Da kann man surfen.			
b Nein. Wir fahren nach Ungarn. Ich will reiten.			
c Wir bleiben zu Hause.			

CD2 18-25   **2**   **Sehen Sie die Fotos an und hören Sie.**

3   **Was ist richtig? Ergänzen Sie.**

Simon und Larissa streiten: Larissa möchte in den Ferien nach Ungarn fahren und dort
.... (reiten ● surfen). Simon möchte lieber .... (Skateboard fahren ● surfen).
Kurt und Susanne wollen zu Hause bleiben, weil im Sommer das Baby da ist und sie dann nicht

verreisen können. Larissa und Simon möchten allein .... (wegfahren ● zu Hause bleiben), aber das erlauben die Eltern nicht. Deshalb fährt Maria mit. Die beiden Kinder holen .... (Formulare ● Kataloge) aus dem Reisebüro und planen teure Reisen. Das geht natürlich auch nicht. Kurt holt sein altes Zelt und baut es auf. Er ist der Meinung, dass Larissa, Simon und Maria Urlaub mit dem Zelt machen können. Da hat Maria eine gute Idee: Die drei fahren zusammen mit dem Zelt an die Nordsee. Das ist nicht .... (teuer ● billig). Dort kann Larissa reiten, Simon surfen und Maria kann .... (ein Musikfestival ● ein Popkonzert) besuchen.

4 **Träumen Sie: Wo würden Sie gern Urlaub machen? Was würden Sie gern sehen?**

Ich möchte unbedingt New York sehen! Ich habe gehört, dass diese Stadt sehr interessant ist.

Und ich würde gern mal nach Afrika fahren. Ich möchte so gern mal wilde Tiere beobachten.

CD 2 26

A1 **Hören Sie noch einmal und variieren Sie.**

> Wir fahren an den Atlantik!

> Nein, wir fahren nach Ungarn.

Wohin? + Akkusativ	
an	den Atlantik / den Strand / den See / die Küste …
ans	Meer
auf	eine Insel
aufs	Land
in	den Schwarzwald / die Wüste / die Berge …
	den Süden / Norden / Osten / Westen

Varianten:
auf eine Insel – in die Schweiz ●
an die Küste – in den Schwarzwald ●
in den Süden – in den Norden

CD 2 27

A2 **Wohin fährt Julius zuerst? Und danach?**

a Hören Sie und ordnen Sie.

das Meer

der Dschungel

das Land

die Berge

b Sprechen Sie.

> Zuerst fährt Julius in den Dschungel.
> Dann fährt er … Danach …

der Bodensee

die Wüste

A3 **Fragen Sie und antworten Sie.**

● Wir könnten im Sommer doch in die Berge fahren!
▲ In die Berge? Nein!
● Warum denn nicht?
▲ Ach, in den Bergen ist es zu langweilig.
● Schade! Aber wir könnten …

Wo? + Dativ	
am	Meer
auf	einer Insel
in	den Bergen
im	Süden

Wohin? + Akkusativ	
ans	Meer
auf	eine Insel
in	die Berge
in	den Süden

Wiederholung	
in	Wien
	Ungarn
in	der Türkei

Wiederholung	
nach	Wien
	Ungarn
in	die Türkei

Meer ● Wien ● Alpen ● Süden ● Berge ●
eine Insel ● die Türkei ● Ungarn ● …

heiß ● langweilig ● kalt ● windig ● laut ●
anstrengend ● gefährlich ● kühl ● trocken ● …

A4 **Ratespiel: Wo sind Sie?**

Was ist in Ihrem Koffer? Notieren Sie drei Dinge. Lesen Sie vor. Die anderen raten.

Sonnenbrille
Flasche Wasser
Sonnenhut

■ Ich glaube, du bist am Meer.
▲ Nein.
▼ Dann bist du wahrscheinlich in der Wüste.
■ Genau!

Schöne Apartments mit großem Balkon.

B1 Hören Sie noch einmal und ergänzen Sie.

Hotel Paradiso

Schön.*e*...... Apartments mit groß.......... Balkon.

Jedes Zimmer mit frei.......... Blick aufs Meer.

Ruhig.......... Lage, nur 3 Minuten zum Strand.

Surf- und Tauchkurse für Anfänger und

Fortgeschrittene.

Nominativ

d**er** → groß**er** Balkon
d**as** → groß**es** Zimmer
d**ie** → ruhig**e** Lage
d**ie** → schön**e** Apartments

Dativ

d**em** → mit groß**em** Balkon
d**em** → mit groß**em** Zimmer
d**er** → in ruhig**er** Lage
d**en** → mit schön**en** Apartments

B2 Welche Unterkunft ist in welcher Landschaft/Region? Ordnen Sie zu.

Schleswig-Holstein (D)

Salzkammergut (A)

Luzern (CH)

Mecklenburger Seenplatte (D)

A ***** Camping „Stern"**

Wunderschöner Campingplatz in ruhiger
Umgebung. Nur fünf Minuten zum Strand,
idealer Badestrand für Kinder.
Moderne Waschräume ◆ großer Spielplatz ◆
herrliche Aussicht auf die Nordsee

B **Kleine Pension mit schönem Blick
auf die historische Innenstadt**

Alle Zimmer mit Bad oder Dusche/WC
freundlicher Service
Übernachtung mit Frühstück
  im Doppelzimmer   ab sFr. 100
  im Einzelzimmer   ab sFr. 80

C **Ferienwohnungen – Natur und Erholung pur!**

Paddeln Sie in unseren Leihbooten von See zu See,
beobachten Sie seltene Vögel und entspannen Sie sich!
Natur pur – ohne lauten Verkehr und stinkende Autos.
Gemütliche 2-Zimmer-Apartments (ca. 45 m²),
Bettwäsche und Handtücher werden gestellt.
Ab 2 Wochen Aufenthalt 10 % Ermäßigung.

D **Ferien auf dem Bauernhof**

Familienfreundlicher, großer Bauernhof mit Kühen,
Schweinen, Hühnern, Hunden und Katzen: Ein Paradies
für Kinder und ihre Eltern! Ruhige Lage und schöner
Panoramablick auf das Dachsteingebirge.
Saubere Zimmer in familiärer Atmosphäre.

Akkusativ

d**en** → ohne laut**en** Verkehr

B3 Wer interessiert sich für welche Anzeige? Ordnen Sie zu.

Anzeige

a Familie Krämer lebt in der Großstadt. Die kleine Tochter ist sehr tierlieb. ☐

b Udo Hai möchte viele Museen ansehen und ins Theater gehen. ☐

c Gabi und Hans Bauer lieben Wasser. Sie möchten Urlaub in der Natur machen.
Gabi war die letzten zehn Jahre am Meer. Dieses Mal möchte sie etwas anderes machen. ☐

d Familie Perger sucht eine billige Unterkunft. Die Kinder baden sehr gern. ☐

B4 Ergänzen Sie die Anzeigen.

a Schön.......... Campingplatz. Nur 3 Euro pro Nacht!

b Suche dringend günstig.......... Zelt!

c Für 20 Euro nach Berlin? Preiswert.......... Angebote – jetzt!

d Wir suchen für klein.......... Pension in zentral.......... Lage zwei freundlich.......... Aushilfen.

der Campingplatz
das Zelt
die Pension
die Lage

B5 Welche der Unterkünfte aus B2 würden Sie wählen oder empfehlen? Warum?

CD 2 29 **C1**   **Im Reisebüro: Hören Sie den ersten Teil des Gesprächs.**

a   Zeichnen Sie Hannas Reiseroute ein.   **b**   Hören Sie noch einmal und ergänzen Sie die Tabelle.

	von	nach	mit
1	*Düsseldorf*	*Leipzig*	*dem Flugzeug*
2	*Leipzig*		*✓*
3			
4			

CD 2 30 **C2**   **Hören Sie weiter. Kreuzen Sie an: richtig oder falsch?**

                                               richtig   falsch

a   Hanna bucht einen Flug für 69 Euro nach Leipzig.   ☐   ☐

b   Sie hat in Hamburg über vier Stunden Aufenthalt.   ☐   ☐

c   Sie sollte schon jetzt einen Platz nach Bremerhaven reservieren,   ☐   ☐
denn von Oktober an fahren die Fähren nicht mehr täglich.

über vier Stunden   = mehr als vier Stunden
von   Oktober an   = ab Oktober

C3   **Rollenspiel: Lesen Sie die Anzeigen und buchen Sie eine Reise im Reisebüro.**

> **Bus Müller – Ihr Spezialist für Busreisen**
> Viele Sonderangebote, zum Beispiel ...
>
> Berlin – Hamburg   **ab 29 Euro**
> Wien – Köln   **ab 39 Euro**
> Zürich – Kiel   **ab 49 Euro**
>
> **Beeilen Sie sich! Wir haben nur noch wenige freie Plätze.**

> *Billigflüge deutschlandweit!*
> **Nach Frankfurt für 34 Euro!**
> **Oder nach Bremen für 56 Euro?**
>
> **Täglich neue Angebote**
> Düsseldorf – München   ab **25 Euro**
> Hannover – Stuttgart   ab **29 Euro**

> **Im Reisebüro – Kunde/Kundin**
> Sie möchten Ihre Freunde in ... besuchen.
> Informieren Sie sich in einem Reisebüro und
> buchen Sie eine Busfahrt / einen Flug.

> **Im Reisebüro – Angestellter/Angestellte**
> Geben Sie Auskunft. Die günstigen Busreisen/
> Flüge sind leider schon ausgebucht.
> Aber es gibt noch andere Angebote.

Ich möchte die Reise nach ... buchen.
Für ... Personen.
Von ... bis ...

Was kostet die Reise?
Wie lange dauert denn die Fahrt / der Flug?

Für wie viele Personen? Wann?
Es ist leider kein Platz mehr frei.
Aber wir haben noch andere Angebote:
   Mit dem Bus/Flugzeug/... für ... Euro nach ...
Das macht ... Euro.
Sie können am ... um ... abfahren/abfliegen
   und sind dann um ... am Ziel.

C4   **Wie sind Sie das letzte Mal in den Urlaub gereist? Erzählen Sie oder schreiben Sie.**

a   Mit welchem Verkehrsmittel sind Sie gereist?   **c**   Durch welche Länder/Städte sind Sie gefahren?
b   Wie lange hat die Reise gedauert?   **d**   Was für Gepäck haben Sie mitgenommen?

<u>D1</u>   **Lesen Sie die Postkarten: Welcher Text gehört zu welcher Postkarte? Ordnen Sie zu.**

A
Lieber Lukas,
schön, dass Du mich bald besuchst! Was möchtest Du
denn gerne machen? Wir können zum Beispiel wandern.
Hier gibt es tolle Berge. Oder möchtest Du lieber ins
Fußballstadion gehen? Die Stadt besichtigen wir besser
nicht. Es sind nämlich zurzeit so viele Touristen hier.
Ich schicke Dir das „Goldene Dachl" lieber als Postkarte.
Viele Grüße, Dein Thorsten

B
Liebe Claudia,
ich möchte Dir so gerne Frankfurt zeigen:
den „Römer" (das ist unser Rathaus), die alte Oper
und das Museumsufer. Und natürlich auch die
Kneipen. Dort kannst Du Apfelwein probieren, Grüne
Soße und andere Spezialitäten. Also: Wann besuchst
Du mich endlich? Ich warte auf Deine Antwort.
Es grüßt Dich herzlich
Deine Agnes

C
Liebe Erika, lieber Klaus,
juhu, wir sind endlich fertig mit unserem Umzug! Unser
kleines Haus liegt außerhalb von Bredstedt, nahe an der
Grenze zu Dänemark. Am Deich kann man prima Rad
fahren und spazieren gehen. Das ist doch genau das
Richtige für Euch, oder? Ihr seid herzlich eingeladen.
Liebe Grüße von Bärbel und Rodolfo
P. S.: Wenn Ihr wollt, können wir auch mit dem Schiff
nach Helgoland fahren.

<u>D2</u>   **Lesen Sie noch einmal. Wer macht welche Vorschläge? Ergänzen Sie.**

Vorschläge	Sport	Kultur	Essen/Trinken	Ausflüge
Karte A	*Wandern, ...*	——	——	
Karte B				
Karte C				

<u>D3</u>   **Schreiben Sie selbst eine Postkarte.**

- Laden Sie eine deutsche Freundin / einen deutschen Freund zu sich nach Hause ein.
- Fragen Sie: Wann kann die Freundin / der Freund kommen?
- Machen Sie zwei bis drei Vorschläge (Sport, Kultur, Essen, Ausflüge): Was könnten Sie gemeinsam machen?
- Sagen Sie, dass Sie sich auf den Besuch freuen.

Vergessen Sie nicht Anrede und Gruß!

```
Liebe/Lieber ...
Wann ... Komm doch mal nach ...
Wir könnten ... gehen/fahren/besichtigen/
anschauen. Ich möchte Dir so gern ... zeigen.
Du musst unbedingt ... sehen. Oder wir ...
Hast Du Lust auf ... Möchtest Du vielleicht ...
Du kannst ... probieren. Das schmeckt ...
Bis bald! Ich freue mich auf Dich!
Viele/Liebe/Herzliche Grüße
```

E1 **Was fällt Ihnen zu diesen Wörtern ein? Sammeln Sie.**

leere Strände

— (Erholung) — — (Abenteuer) — — (Kultur) — — (Sport & Spaß) —

Wärme   *giftige Tiere*   *Museen*

E2 **Welcher Urlaubstyp sind Sie? Lesen Sie die Anzeigen und sprechen Sie.**

Bilden Sie vier Gruppen: Die „Abenteuergruppe", die „Kulturgruppe",
die „Erholungsgruppe" und die „Sportgruppe".

Abenteuer!
Lust auf Risiko? Wilde Tiere,
Dschungel oder einsame Wüste?
Verrückter Abenteurer sucht
abenteuerlustige Reisebegleiter.

Kultur!
Paris, London, Rom?
Suche intelligente und
neugierige Mitreisende!

Erholung!
Nur kein Stress!
Genießerin sucht unkomplizierte
Urlaubsbegleitung.

Sport und Spaß!
Sport, Spaß, gute Laune ...
Blonder, immer gut gelaunter Sunnyboy
sucht fröhliche Sportsfreunde.

> Im Urlaub brauche ich kein Abenteuer. Das finde ich schrecklich!
> Ich will nur faulenzen und mich erholen. Ich gehe in die Erholungsgruppe.

E3 **Planen Sie gemeinsam in Ihrer Gruppe eine Traumreise. Einigen Sie sich.**

Wohin? → Wann? → Wie lange? → Womit? → Wo übernachten? → Was mitnehmen? → Was machen?

● Wir könnten in die Sahara fahren.
▲ Oh nein, darauf habe ich keine Lust. Das ist mir viel zu heiß.
● Dann fahren wir auf eine einsame Insel.
▲ Einverstanden. Das ist eine gute Idee. Dort können wir ...

Wollen wir ...?
Lass uns doch ...
Ich habe da einen Vorschlag / eine Idee.

☺

Ja, gut, machen wir es so.
Super. Das ist eine gute Idee.
Ich bin dafür.

☹

Ach nein, darauf habe ich keine Lust.
Das ist aber keine gute Idee.
Also, ich weiß nicht.
Ich bin dagegen.

E4 **Machen Sie in Ihrer Gruppe ein Plakat und erzählen Sie danach den anderen
Gruppen von Ihrer Traumreise.**

Die Abenteurer
Wir verreisen...

| *wohin?* | *wann?* | *wie lange?* |
| Alaska | dieses Jahr | sechs Monate |

> Wir fahren dieses Jahr nach Alaska und
> bleiben dort sechs Monate. Wir fahren ...

Grammatik

1 Lokale Präpositionen

	Wo? – Dativ		Wohin? – Akkusativ	
an	am	Atlantik	an	den Atlantik
	am	Meer	ans	Meer
	an	der Küste	an	die Küste
auf	auf	dem Land	aufs	Land
	auf	der Insel	auf	die Insel
in	im	Schwarzwald	in	den Schwarzwald
	im	Gebirge	ins	Gebirge
	in	den Bergen	in	die Berge

2 Adjektivdeklination: ohne Artikel

	Nominativ		Akkusativ		Dativ	
maskulin	schön**er**	Blick	schön**en**	Blick	schön**em**	Blick
neutral	schön**es**	Zimmer	schön**es**	Zimmer	schön**em**	Zimmer
feminin	schön**e**	Lage	schön**e**	Lage	schön**er**	Lage
Plural	schön**e**	Räume	schön**e**	Räume	schön**en**	Räumen

3 Präposition *ohne* + Akkusativ

Ich fahre ohne | einen Freund | weg.
      | eine Freundin |

4 Temporale Präpositionen

von ... an + Dativ

Von Oktober an fährt die Fähre ...

über + Akkusativ

Sie hat **über** vier Stunden Aufenthalt.

Wichtige Wendungen

im Reisebüro: einen Flug buchen, ...

einen Platz reservieren • ausgebucht sein • am Ziel sein • Ich möchte eine Reise / eine Busfahrt / einen Flug für ... Personen buchen. • Wie lange dauert denn die Busfahrt / der Flug? • Wie oft fahren denn die Schiffe? Täglich?

Vorschläge: Wollen wir ...?

Wollen wir ...?	Ja, gut, machen wir es so.	Ach nein, darauf habe ich keine Lust.
Lass uns doch ...	Super. Das ist eine gute Idee.	Das ist aber keine gute Idee.
Ich habe da einen	Ich bin dafür.	Ich bin dagegen.
Vorschlag / eine Idee.		Also, ich weiß nicht, ...

schriftliche Einladung: Du bist herzlich eingeladen.

Liebe/Lieber ...
Wann ...? • Komm doch mal ... • Wir könnten ... gehen / fahren / besichtigen / anschauen. •
Ich möchte dir so gern ... zeigen. • Du musst unbedingt ... sehen. • Oder wir ... •
Hast du Lust auf ...? • Möchtest du vielleicht ...? • Du kannst ... probieren. Das schmeckt ... •
Du bist herzlich eingeladen. • Bis bald! • Ich freue mich auf dich! • Viele/Liebe/Herzliche Grüße

1 **Würden Sie gern eine Ballonfahrt machen?**

Wenn ja:
Wo(hin) würden Sie gern fahren?
Was würden Sie gern aus der Luft sehen?
Wie viel Geld würden Sie dafür ausgeben?

Wenn nein:
Warum nicht?

2 **Rollenspiel: Wer bleibt im Ballon?**

Stellen Sie sich vor: Sie sind zu fünft in einem Ballon. Leider sind Sie zu schwer. Wenn alle im Ballon bleiben, stürzt der Ballon bald ab. Nur zwei von Ihnen können weiter fahren, die anderen müssen abspringen. Jede/r von Ihnen hat einen anderen Beruf. Erklären Sie den anderen, warum Sie unbedingt im Ballon bleiben müssen.

Jürgen Fels ist seit 1988 Berufspilot und arbeitet als Kapitän für eine deutsche Fluggesellschaft. Man könnte meinen, dass er mit seiner Boeing 737 schon genug Zeit in der Luft verbringt. Doch seine Liebe zum Fliegen ist so groß, dass er auch nach der Arbeit nicht auf dem Boden bleiben möchte. Seit 1999 bietet er mit einer eigenen Firma und einem kleinen Mitarbeiterteam Ballonflüge im südbayerischen Voralpenland an. Das stimmt doch, Herr Fels?

Nein, nicht Ballonflüge. Es muss Ballonfahrten heißen. Mit einem Ballon fliegt man nicht, man fährt.

Aha! Und wie viele Passagiere können in Ihrem bunten Heißluftballon mitfahren?

Ich nehme bis zu acht Passagiere mit und steige mit ihnen bis in eine Höhe von etwa 500 bis 1500 Meter über dem Boden auf. Von dort hat man einen wunderbaren Rundblick auf die Berge und auf unsere schönen Seen.

Wie lange dauert denn so eine Fahrt?

In der Luft sind wir eine bis eineinhalb Stunden. Aber natürlich brauchen wir auch Zeit für die Startvorbereitung und für den Rückweg nach der Landung. Insgesamt sind wir vier bis fünf Stunden unterwegs.

Wann kann man am besten mit dem Ballon aufsteigen?

Das kann in jeder Jahreszeit sehr schön sein. Wichtig ist, dass das Wetter mitspielt. Man braucht unbedingt eine gute Sicht und möglichst ruhige Luft. Die gibt es in der warmen Jahreshälfte vor allem am Morgen und am Abend. Im Winterhalbjahr ist es anders, da fahren wir meist in der Mittagszeit.

Wie geht das, wenn ich bei Ihnen mitfahren will?

Sie kaufen ein Ticket und vereinbaren einen Termin.

Und wenn an meinem Termin das Wetter schlecht ist?

Dann fahren wir nicht. Wir starten nur bei gutem Wetter, denn die Sicherheit steht bei uns an erster Stelle. Aber keine Sorge: Ihr Ticket bleibt natürlich gültig. Wir machen einfach einen neuen Termin aus.

<u>a</u> Bilden Sie Gruppen und suchen Sie für jede Person einen Beruf.
Beispiele:
Gruppe 1: Informatiker/in, Künstler/in, Schreiner/in, Lehrer/in, KFZ-Mechaniker/in
Gruppe 2: IT-Spezialist/in, Autor/in, Friseur/in, Krankenpfleger/in, Architekt/in

<u>b</u> Sagen Sie Ihren Mitspielern, warum Sie unbedingt im Ballon bleiben müssen.

> Ich bin Künstlerin. Meine Bilder sind berühmt und wichtig. Die Menschen lieben und brauchen Bilder. Ohne Bilder ist die Welt nicht mehr bunt und schön.

> Ich bin Informatiker. Ohne Computer funktioniert heute GAR nichts mehr.

<u>c</u> Entscheiden Sie gemeinsam, wer die besten Argumente hat und bleiben darf.

FOLGE 13: *DIE GEHEIMZAHL*

1   Was für Karten sind das? Ordnen Sie zu. Was kann man mit ihnen machen?

☐ EC-Karte   ☐ Telefonkarte   ☐ Kundenkarte   ☐ Kreditkarte

2   Welche Erklärung passt? Kreuzen Sie an.

a   Das Schreiben von der Bank mit der Geheimzahl muss man gleich *vernichten*.
☐ gut verstecken ☐ kaputt machen

b   Die Geheimzahl ist eine *persönliche Identifikationsnummer* (PIN-Code). Das bedeutet:
☐ Nur eine Person darf die Zahl kennen. ☐ Alle kennen diese Zahl.

c   Mit der EC-Karte und der Geheimzahl kann man am Geldautomaten Geld *abheben*.
☐ holen ☐ ausleihen

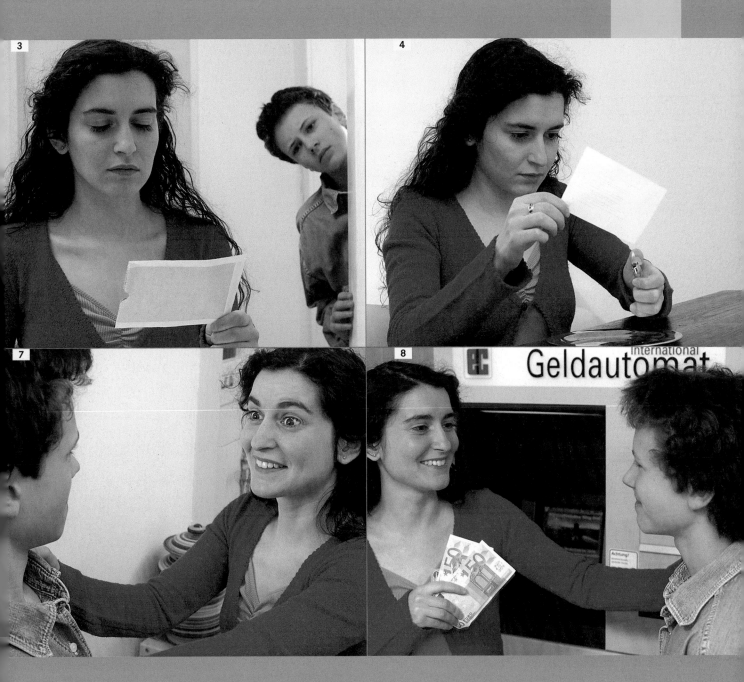

3   **Sehen Sie die Fotos an und hören Sie.**

4   **Was passiert? Ordnen Sie zu.**

a Maria bekommt einen Brief von der Bank mit ihrer Geheimzahl. Sie soll sich die Geheimzahl merken und den Brief vernichten.

b Sie will mit ihrer EC-Karte Geld vom Geldautomaten abheben.

c Sie fragt den Angestellten am Bankschalter nach ihrer Geheimzahl.

d Sie kommt enttäuscht nach Hause.

Dort fällt ihr die Geheimzahl wieder ein – durch eine Frage von Simon!

Er kann ihr aber nicht helfen. Nur sie selbst kennt ihre Geheimzahl.

Aber sie hat leider ihre Geheimzahl vergessen. Ohne Geheimzahl kann man aber kein Geld abheben.

Deshalb lernt sie die Geheimzahl auswendig.

5   **Ist Ihnen so etwas Ähnliches auch schon mal passiert? Erzählen Sie.**

CD 2 39-41 **A1**   **Hören Sie und ergänzen Sie.**

1
- ● Kannst du mir kurz helfen? „Einprägen"? Das Wort kenne ich nicht. Kannst du mir sagen, ... das heißt?

2
- ● Simon, weißt du, ... es einen Geldautomaten gibt?
- ▲ Ja, gegenüber der Bäckerei.

3
- ■ Beim dritten Mal ist die Karte weg.
- ● Wirklich? Wissen Sie, ... ich die Karte dann wiederbekomme?

Was heißt das?   ➜   Können Sie mir sagen, | was das heißt ?
Weißt du,
auch so: wo, wie, wann, …

A2   **Am Bankschalter: Schreiben Sie.**

> Guten Tag, was kann ich für Sie tun?

> Ich habe meine Kreditkarte verloren. Können Sie mir sagen, …

a   *was ich jetzt* .... ?
Was muss ich jetzt tun?

b .... ?
Welche Service-Nummer muss ich anrufen?

c .... ?
Wie lange muss ich warten?

d .... ?
Wie kann ich trotzdem Geld von meinem Konto abheben?

e .... ?
Wie bekomme ich eine neue Kreditkarte?

A3   **Partnersuchspiel**

a   Schreiben Sie ein Fragekärtchen mit einer „W-Frage" (**Wer? Wann? Wo?** …) und ein Antwortkärtchen.

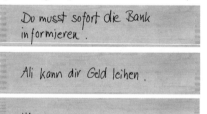

> Ich habe meine EC-Karte verloren. Was muss ich jetzt machen?

> Du musst sofort die Bank informieren.

> Ich habe zu viel Geld ausgegeben. Wer kann mir Geld leihen?

> Ali kann dir Geld leihen.

> …

> …

b   Verteilen Sie die Kärtchen neu. Fragen Sie im Kurs. Beginnen Sie Ihre Fragen mit *Weißt du, …* oder *Kannst du mir sagen, …* .
Suchen Sie eine passende Antwort.

- ● Ich habe meine EC-Karte verloren. Kannst du mir sagen, was ich jetzt machen muss?
- ▲ Nein, tut mir leid. Da musst du weiterfragen.
- ● Tamara, ich habe meine EC-Karte verloren. Weißt du, was ich jetzt machen muss?
- ■ Ja, das weiß ich. Du musst sofort …

Können Sie mal nachsehen, **ob** die Zahl in Ihrem Computer ist?

B   13

B1   **Hören Sie und variieren Sie.**

● Können Sie mal nachsehen, ob die Zahl in Ihrem Computer ist?

■ Nein, tut mir leid.   ■ Ja, selbstverständlich.

Varianten:
Haben Sie meine neue Adresse? ● Ist noch Geld auf meinem Konto?

Ist die Zahl in Ihrem Computer? – Nein.
Haben Sie meine neue Adresse? – Ja.

Können Sie mal nachsehen, ob die Zahl in Ihrem Computer ist ?
ob Sie meine neue Adresse haben?

B2   **Welche Erklärung passt? Ordnen Sie zu.**

a bar bezahlen   Man zahlt nicht direkt, sondern vom eigenen Konto auf ein anderes.

b Zoll bezahlen   Man bezahlt sie, wenn man sich Geld ausleiht. Oder man bekommt
                                sie, wenn man Geld spart.

c Geld überweisen   Man bezahlt mit Geldscheinen und/oder Münzen.

d die Bankverbindung, -en Das bezahlt man an den Staat, wenn man bestimmte Waren ins Land
                                mitbringt.

e die Zinsen   Das sind die Kontonummer und die Nummer der Bank,
                                die Bankleitzahl.

B3   **Was fragen die Leute? Ergänzen Sie. Hören Sie dann und vergleichen Sie.**

Akzeptieren Sie auch Kreditkarten? ● Muss ich bar bezahlen? ● Kann ich das Geld überweisen?

▲ Du musst sicherlich Zoll bezahlen.

● Oh je. Weißt du, ...?

▲ Nein, das glaube ich nicht. Das geht sicher auch mit Karte.

■ Ich wollte fragen, ...

◆ Nein, tut mir leid, wir nehmen hier keine Karten, hier können Sie
   nur bar bezahlen.

▼ Du, ich möchte etwas im Internet bestellen, ich habe aber keine
   Kreditkarte. Weißt du, ... ?

● Das ist sehr unterschiedlich. Wenn ja, dann fragen sie dich nach
   deiner Bankverbindung.

B4   **Machen Sie Notizen und stellen Sie Ihrer Partnerin / Ihrem Partner fünf Fragen.**
Beginnen Sie Ihre Fragen mit: *Ich wollte dich fragen, ...* **oder** *Ich würde gern wissen, ...*

Im Internet mit Kreditkarte bezahlen?
Immer viel Bargeld dabei?

● Manuel, ich wollte dich fragen, ob du im
   Internet mit Kreditkarte bezahlst?

▲ Nein, das mache ich nie. Das finde ich gefährlich.

CD 2 46 🔲 **C1**   **Hören Sie und variieren Sie.**

▲ Letzten Monat ist mir das selbst passiert.
● Und dann?
▲ Ich musste mir eine neue Karte ausstellen lassen.

Varianten:
mir das Geld am Schalter auszahlen lassen ●
mir eine neue Geheimnummer zuschicken lassen

letzten Monat
auch so: diesen/jeden/nächsten Monat

C2   **Der Kunde ist König: Was lässt er alles machen? Schreiben Sie.**

sich die Haare schneiden ● sich einen Anzug nähen ● sich das Essen servieren ●
sein Auto waschen ● seine Einkaufstüten tragen

Er lässt sich das Essen servieren.

du   lässt
er/es/sie   lässt

A ....

....

B ....

....

Er lässt sich das Essen servieren. ....

C3   **Dienstleistungen: Was machen Sie selbst? Was lassen Sie machen? Fragen und antworten Sie im Kurs.**

Fahrrad reparieren ● Reifen am Auto wechseln ● Öl wechseln ● Wohnung renovieren ●
Kleider ändern ● Waschmaschine installieren ● Internetzugang einrichten ● ...

▲ Reparierst du dein Fahrrad selbst oder lässt du es reparieren?
● Ich muss es immer reparieren lassen. Ich kenne mich überhaupt nicht aus.
■ Ich lasse es nur selten reparieren. Kleine Sachen mache ich selbst.

D1 Lotto spielen

SPIEL 1

1	2	3	4	5	6	7
8	9	10	11	12	13	14
15	16	17	18	19	20	21
22	23	24	25	26	27	28
29	30	31	32	33	34	35
36	37	38	39	40	41	42
43	44	45	46	47	48	49

a Füllen Sie den Lottoschein aus:
Kreuzen Sie sechs Zahlen an.

> irgendwo
> = an keinem bestimmten Ort
> *auch so:* irgendwas, irgendwie,
> irgendwann, …

b Warum haben Sie diese Zahlen gewählt? Erzählen Sie.

> Ich habe bei der 5 und bei der 1 ein Kreuz gemacht,
> weil ich am 5.1. Geburtstag habe, und …

> Ich habe einfach irgendwo
> ein Kreuz gemacht.

c Ziehung der Lottozahlen: Hören Sie und vergleichen Sie mit Ihren Zahlen. Wie viele „Richtige"
haben Sie?

d Spielen Sie Lotto? Wie oft? Haben Sie schon etwas gewonnen?

D2 Was meinen Sie? Kreuzen Sie an. Hören Sie dann den Anfang einer Radiosendung und vergleichen Sie.

a Die Chance, dass Sie „sechs Richtige" gewählt haben, liegt bei …
☐ 1 : ca. 20 000 000   ☐ 1 : ca. 14 000 000   ☐ 1 : ca. 900 000

b Wie viele Leute in Deutschland spielen pro Woche Lotto?
☐ 12 Millionen   ☐ 21 Millionen   ☐ 31 Millionen

D3 Was sagt Herr Sellers? Hören Sie das Interview zweimal und kreuzen Sie an: richtig oder falsch.

Paul Sellers
Berater für Lottogewinner

	richtig	falsch
a Viele Lottogewinner können gar nicht glauben, dass sie gewonnen haben. Außerdem wissen sie nicht, mit wem sie darüber reden sollen.	☐	☐
b Herr Sellers rät ihnen, dass sie nur mit guten Freunden darüber reden sollen.	☐	☐
c Sie sollen sich über den Gewinn erst einmal richtig freuen und sich etwas ganz Tolles kaufen, zum Beispiel einen Porsche.	☐	☐
d Die meisten wünschen sich ein Auto, ein Haus und eine Weltreise.	☐	☐
e Nur wenige Leute denken an die Zukunft: an die Kinder oder an ihre eigene Rente.	☐	☐
f Junge Leute sollten nicht sofort mit der Arbeit aufhören.	☐	☐
g Sie sollen guten Freunden und Verwandten Geld schenken.	☐	☐
h Die meisten Leute leben nach dem Lottogewinn ganz anders.	☐	☐

D4 Wie würde Ihr Leben als Lottogewinner aussehen: Malen Sie ein Bild und sprechen Sie.

■ Wo würden Sie leben?   ■ Wem würden Sie Geld schenken oder spenden?
■ Was würden Sie zuerst kaufen?   ■ Würden Sie noch weiter arbeiten?

> Ich würde in einer riesigen Wohnung mitten in Paris wohnen.
> Jedes Wochenende würde ich ans Meer fliegen und auf einem
> Boot wohnen. Ich würde meiner Oma etwas Geld schenken,
> weil sie nur eine kleine Rente hat. Geld spenden würde ich
> natürlich auch, und zwar an eine Organisation wie …

E1 Lesen Sie die Texte und ordnen Sie die Bilder zu. Finden Sie dann passende Überschriften.

A    B    C

1 ☐

Heilbronn – Endlich. In den Kneipen braucht bald niemand mehr Geld – nur noch einen Fingerabdruck. In Heilbronn gibt es den ersten Biergarten Deutschlands, wo man so bezahlen kann. Wie funktioniert die Idee? Ganz einfach: Beim ersten Mal muss der Gast an der Kasse Namen und Bankverbindung angeben und den Daumen auf ein kleines elektronisches Kissen drücken. Beim nächsten Bezahlen muss man nur noch den Finger auf das Kissen drücken und der Betrag wird vom Konto abgebucht. Na dann, Prost!

2 ☐

Der Alptraum: Im Urlaub stellt man fest, dass sämtliche Papiere, Karten und auch das Geld weg sind! Das ist zwar schlimm, aber noch lange kein Grund zur Panik, wenn Sie vor der Reise die folgenden Tipps beachten: Kopieren Sie Ausweispapiere, Geld- und Krankenkassenkarten sowie Fahrkarten bzw. Flugtickets. Nehmen Sie die Kopien getrennt von den Originalen mit. Das gilt auch für Fahrzeugpapiere und Führerschein. Schreiben Sie alle Notfall-Rufnummern (z.B. die Telefonnummer von der Bank) sowie Geheimnummern getrennt von den Dokumenten auf. Gute Reise!

3 ☐

Berlin – Der Geldautomat gibt nicht nur Geld, sondern er nimmt es auch. Der Kunde kann bei seiner Bank rund um die Uhr Geld einzahlen. Manche Kunden haben aber anscheinend noch Probleme damit. Hans Leinemann von der Bank: „Erstaunlich, was wir alles finden: Joghurtbecher, Butterbrote und Silvesterknaller waren schon drin." Die Kunden werfen die Scheine oft auch falsch hinein. Wie es richtig geht, sagen die Bankmitarbeiter während der Öffnungszeiten.

während der Öffnungszeiten

	9⁰⁰–15⁰⁰	
vor ...	während ...	nach ...

E2 Lesen Sie noch einmal die Texte aus E1. Was ist richtig? Kreuzen Sie an.

1

a Es gibt in Deutschland einen Biergarten, in dem man kein Bargeld mehr braucht. ☐

b Der Kunde muss nur einmal einen Fingerabdruck geben, dann nicht mehr. ☐

2

c Lassen Sie die Kopien der Papiere und Karten zu Hause. ☐

d Notieren Sie die Notfall-Rufnummern auf einem Extra-Papier. ☐

3

e Bei den neuen Geldautomaten kann man auch Geld einzahlen. ☐

f Die Kunden werfen nur Scheine hinein. ☐

Grammatik

1 Indirekte Fragen mit Fragepronomen *wer, was* ...

	Fragepronomen		Ende
Können Sie mir sagen,	was	das	heißt?
Wissen Sie,	wann	die Banken	geöffnet haben?
	wo	man Geld	abheben kann?

2 Indirekte Fragen mit Fragepronomen *ob*

	ob		Ende
Können Sie nachsehen,	ob	die Zahl in Ihrem Computer	ist?
	ob	Sie meine neue Adresse	haben?

3 Verb: Konjugation

	lassen		Position 2		Ende
ich	lasse	Ich	lasse	mir eine Karte	ausstellen.
du	lässt	Ich	muss	mein Fahrrad	reparieren lassen.
er/es/sie	lässt				
wir	lassen				
ihr	lasst				
sie/Sie	lassen				

Wichtige Wendungen

Aktivitäten rund ums Geld

Geld einzahlen/auszahlen/abheben/überweisen/ausgeben/
sparen/(aus)leihen • Zinsen bekommen/bezahlen

Zahlungsmöglichkeiten

bar bezahlen • mit EC-/Kreditkarte bezahlen • Geld überweisen

Situation/Verständnis sichern

Können Sie mir sagen,	was das heißt?
Wissen Sie,	welche Service-Nummer ich anrufen muss?
Ich wollte fragen,	wie ich Geld abheben kann?
	ob ich das Geld überweisen kann?

Unkenntnis äußern

Ich kenne mich überhaupt nicht aus.

etwas Unbestimmtes ausdrücken

Ich habe irgendwo ein Kreuz gemacht.

Strategien

Ja, selbstverständlich. •
Viele glauben das nicht. Außerdem wissen sie ...

<u>1</u> **Sehen Sie die Personen/Szenen A bis E an.**

Suchen Sie zu zweit eine Szene aus und schreiben Sie ein Gespräch zwischen den beiden Personen.
Spielen Sie das Gespräch im Kurs vor.

CD 2 50-54 ⊡ <u>2</u> **Hören Sie nun die Gespräche A bis E. Was ist richtig? Kreuzen Sie an.**

A Der Passant hat kein Bargeld. ☐
   Der Passant möchte dem Räuber das Geld überweisen. ☐

B Der Gast hat kein Geld. ☐
   Der Kellner will die Polizei rufen. ☐

C Die Frau spendet Geld für die Kinderhilfe. ☐
   Das Kind möchte wissen, wie viel Uhr es ist. ☐

D Der Autofahrer hat kein Kleingeld.
Der Autofahrer ist sauer, weil er die Parkgebühr nicht bezahlen kann.

E Die beiden Leute sagen, dass die Geldbörse ihnen gehört.
Die Geldbörse gehört dem Mann.

3 **Sehen Sie sich Szene F an.**

Schreiben Sie zu dritt ein Gespräch und geben Sie Ihr „Manuskript" an
eine andere Gruppe weiter. Diese korrigiert und spielt das Gespräch vor.
Entscheiden Sie im Kurs: Welches Gespräch ist am lustigsten oder interessantesten?

FOLGE 14: *BELINDA*

1 Sehen Sie die Fotos an.

a Foto 1: Worüber streiten Larissa und Simon? Was meinen Sie?
b Foto 6: Wer ist die alte Frau? Erkennen Sie sie?

CD 2 55–62 **2 Sehen Sie die Fotos an und hören Sie.**

3 Erzählen Sie die Geschichte. Die Stichworte helfen Ihnen.

1 (Susanne) → Krankenhaus/Baby   **2** (Kurt) → bei Susanne im Krankenhaus

3 → zu Hause: streiten über den Namen für das Baby

Simon und Larissa

→ Krankenhaus: streiten immer noch

4

Maria → telefoniert mit ...
→ holt ... ab Krankenhaus

5

Tante Erika → glücklich

Susanne liegt im Krankenhaus. Das Baby ist da! Es ist ein Mädchen, es hat aber noch keinen Namen. Kurt ...

4 **Was sind Ihre Lieblingsnamen? Warum? Machen Sie gemeinsam eine Liste.**

> Ich finde Anna schön. Das erinnert mich an meine Großmutter. Sie hatte den gleichen Namen.

> Kabiru gefällt mir am besten. Das bedeutet „der Große".

> Mir gefällt ...

Ich **habe** nicht **gewusst**, dass Babys so klein sind!

A1 Lesen Sie und ergänzen Sie die Tabelle.

a ▲ Ich habe nicht gewusst, dass Babys so klein sind!
● Tja, so klein warst du auch mal.

b ■ Guck mal, wer da gekommen ist! Ich bin deine Urgroßtante.

wissen	→ ich	*habe*	
kommen	→ ich		

A2 CD 2 63 ☐ Erinnerungen an die Kindheit: Hören Sie und ordnen Sie die Bilder zu.

A3 CD 2 63 ☐ Welche Aussage passt zu welchem Text? Kreuzen Sie an. Hören Sie noch einmal und vergleichen Sie.

1 2 3

a Meine Eltern hatten einen kleinen Lebensmittelladen. Ich bin dort aufgewachsen – zwischen Schokolade und Seife. Jeden Tag kamen dieselben Kunden. Meine Schwester und ich mussten nach der Schule immer mithelfen. Mein Vater sagte immer: Wir mussten früher schließlich auch hart arbeiten. ☐ ☐ ☐

b Einmal ist etwas Schlimmes passiert: Ich habe auf einer Baustelle gespielt und bin in ein großes Loch gefallen. ☐ ☐ ☐

c Wir durften immer im Stall mithelfen. Zum Frühstück habe ich frisches Bauernbrot mit Erdbeermarmelade und natürlich frische Kuhmilch bekommen. ☐ ☐ ☐

d Dabei habe ich mich schwer am Kopf verletzt. Ich konnte wochenlang nicht mehr mitspielen. ☐ ☐ ☐

e Meine Eltern sind jetzt pensioniert. Ich sollte den Laden übernehmen, aber ich wollte nicht. ☐ ☐ ☐

f Leider ist meine Oma schon tot. Sie ist vor einem Jahr nach einer Operation gestorben. Sie hat viel Schlimmes erlebt: zwei Kriege, schwere Krankheiten und den Tod ihrer Brüder. Trotzdem war sie immer fröhlich und hatte viel Energie. ☐ ☐ ☐

A4 Markieren Sie die Perfekt- und Präteritumformen in A3. Ergänzen Sie.

verletzen	→ ich habe mich *verletzt*	dürfen	→ ich		sein	→ ich
bekommen	→ ich habe	können	→ ich		haben	→ ich
erleben	→ ich habe	müssen	→ ich *musste*			
aufwachsen	→ ich bin	wollen	→ ich			
passieren	→ es ist	sollen	→ ich			

er ist gekommen ≈ er kam
er hat gesagt ≈ er sagte

A5 ⇄ Welche Kindheitserinnerungen haben Sie? Machen Sie ein Partnerinterview und berichten Sie über Ihre Partnerin / Ihren Partner.

wo – groß geworden? ●was – gespielt? ●einmal verletzt? ●Ferien – was gemacht? ●
Eltern – geholfen? ●welche schöne Erinnerung? ●...

▲ Teresa, wo bist du groß geworden?
● Ich bin auf dem Land aufgewachsen, in einem kleinen Dorf. ...

Teresa:
- auf dem Land aufgewachsen
- ...

B1 **Erinnern Sie sich? Worum geht es in den Konflikten? Ordnen Sie die Texte den Bildern zu.**

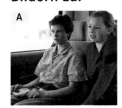   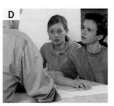 

☐ Larissa würde das Baby gern Belinda nennen. Simon hätte lieber einen anderen Namen.

☐ Simon und Larissa würden gern allein verreisen. Kurt und Susanne sind dagegen. Larissa meint, dass Maria doch mitfahren könnte.

☐ Simon möchte Comics lesen, er soll aber Maria wecken.

☐ Susanne und Kurt wären gern für ein Wochenende allein und möchten deshalb wegfahren. Maria hätte gern etwas Ruhe und Simon würde gern Skateboard fahren. Kurt will aber, dass Simon lernt.

☐ Larissa und Simon möchten nicht zum Flughafen fahren. Aber Susanne und Kurt wollen, dass Maria bei ihrer Ankunft gleich die ganze Familie kennenlernt.

B2 **Lesen Sie B1 noch einmal und ergänzen Sie.**

Wunsch	Aufforderung/Vorschlag
Larissa _____ das Baby gern Belinda _____ .	Maria _____ doch mitfahren.
Maria _____ gern etwas Ruhe.	
Susanne und Kurt _____ gern für ein Wochenende allein.	
Simon _____ Comics lesen.	

B3 **Worum geht es in diesen Konflikten? Schreiben Sie kleine Texte wie in B1.**

Der Sohn / Die Tochter möchte/würde/hätte gern ...
Der Vater / Die Mutter sagt/meint aber, dass ...

B4 **Probleme der Jugendlichen und Ratschläge/Vorschläge der Eltern**

a Schreiben Sie Kärtchen. Jede/r schreibt eine rote „Problemkarte" und eine blaue „Vorschlags- oder Ratschlagskarte".

> *Ich habe Liebeskummer.*

> *Du solltest mit Freunden ausgehen.*

> *Ich verstehe meine Mathehausaufgaben nicht.*

> *Du könntest mit einer Freundin lernen.*

b Mischen Sie die Kärtchen. Jede/r zieht eine rote und eine blaue Karte.

c Fragen Sie und antworten Sie.

● Ich habe Liebeskummer. Was soll ich tun?
▲ Du solltest mit Freunden ausgehen.
 Dann kommst du auf andere Gedanken.

Wiederholung
Ratschlag
Du solltest mit Freunden ausgehen.

C1 **Ordnen Sie zu.**

☐ der Bär   ☐ das Häuschen   ☐ die Schwester
☐ das Bärchen   ☐ das Haus   ☐ das Schwesterchen

die Schwester – das Schwesterchen
das Haus   – das Häuschen

C2 **Was meinen Sie? Was sind typische Kosenamen? Kreuzen Sie an.**

☐ Esel   ☐ Zuckermaus   ☐ Kuh   ☐ Schatz   ☐ Drache   ☐ Engel

C3 **Lesen Sie den Text und ergänzen Sie.**

Nüdelchen ● Bärchen ● Fee ● Schätzchen ● Dickerchen

> der Kosename, -n
> liebevolle Anrede für den Partner,
> für Familienmitglieder und
> enge Freunde

„Sag mir was Nettes"
Deutsche zeigen bei Kosenamen wenig Fantasie

Die Deutschen sind bei der Wahl von Kosenamen eher einfallslos: Fast jeder zweite nennt seinen
Partner oder seine Partnerin *Schatz*, ... oder *Liebling*. Auch Kosewörter aus der
Tierwelt, wie ...., *Häschen* oder *Mausi*, sind sehr populär. Oder aber der Kosename
steht für bestimmte Eigenschaften: Der etwas runde Mann wird schnell zum ...., der
5 starke Raucher zum *Dampfmaschinchen*, die schöne Frau zu *Meine Schöne*. Beliebt sind außerdem
– vor allem bei Männern – Begriffe aus den Bereichen Märchen und Essen wie ....,
Engelchen, *Keks* oder .... Aber Vorsicht! Welcher Mann findet es schon lustig, wenn
sein *Nüdelchen* ihn vor den Arbeitskollegen *Dickerchen* nennt? Kosenamen sind reine Privatsache!
Übrigens: Eine Befragung hat gezeigt, dass viele Leute dankbar sind, wenn ihr Partner sie einfach mit
10 ihrem richtigen Namen anspricht, denn sie empfinden Kosenamen oft als unangenehm oder respektlos.

C4 **Suchen Sie passende Wörter in C3.**

-bar, -ig, -los, un-	-er, -in, -ung	… + …
danken –	rauchen –	die Arbeit + *der* Kollege =
die Lust –	der Partner –	*der* ....s................
der Einfall –	befragen –	das Tier + *die* Welt = die ....
angenehm –		

C5 **Welche Gruppe findet in zehn Minuten die meisten Wörter?**
Suchen Sie auch im Wörterbuch.

-ung	-er	-in	-ig	-bar	-los	un-

Schön, **dass** du da bist.

D1 **Lesen Sie die Postkarte und ergänzen Sie die Tabelle.**

Liebe Karin,

das Baby ist da! Es ist ein so süßes Mädchen! Du wirst es ja sehen, wenn Du mich besuchst. Einen Namen gibt es noch nicht. Simon und Larissa haben sogar im Krankenhaus gestritten, weil sie sich nicht einigen konnten. Na ja, Susanne und Kurt streiten sich ja auch manchmal, aber ich finde, sie sind trotzdem ein sehr glückliches Paar. Streiten gehört bei ihnen einfach dazu.

Schön, dass Du kommst. Ich freue mich schon, dann lernst Du sie ja kennen, meine wunderbare Familie!

Viele liebe Grüße
Maria

	, wenn	besuchst .
	, weil	
	, dass	

D2 **Was meinen Sie? Worüber streiten Paare am häufigsten? Ergänzen Sie die Statistik.**

Flirt mit anderen ● zu wenig Aufmerksamkeit ● zu wenig Zeit ● Haushalt ● Erziehungsfragen ● Geld ● Unzuverlässigkeit

①	....	23%
②	....	21%
③	....	18%
④	....	11%
⑤	....	8%
⑥	....	6%
⑦	....	3%

D3 **Vergleichen Sie Ihre Ergebnisse mit den Ergebnissen einer Meinungsumfrage. Was hat Sie überrascht?**

① zu wenig Zeit ② Haushalt ③ Erziehungsfragen ④ Geld ⑤ Unzuverlässigkeit ⑥ zu wenig Aufmerksamkeit ⑦ Flirt mit anderen

D4 **Hören Sie ein Interview mit einem Ehepaar. Worüber streiten die beiden am häufigsten?**

■ .... ■ .... ■ ....

D5 **Ergänzen Sie. Hören Sie dann noch einmal und vergleichen Sie.**

denn ● aber ● trotzdem ● deshalb

a	Ich räume dauernd auf,	....	findet Justus mich unordentlich.
b	Du hast fast nie Zeit für mich –	....	bin ich öfters mal sauer.
c	Das ist auch so ein Problem,	....	Justus ist einfach nicht streng genug.
d	Wir streiten schon oft,	....	für uns gehört das zu einer glücklichen Ehe.

CD2 65 **E1** **Ergänzen Sie. Hören Sie dann einen Ausschnitt aus einem Lied von Udo Jürgens und vergleichen Sie.**

Schuss ● an ● Schluss ● daran

in Schuss kommen = fit/aktiv werden

Mit 66 Jahren da fängt das Leben	Mit 66 Jahren da kommt man erst in ....
Mit 66 Jahren da hat man Spaß	Mit 66 Jahren da ist noch lange nicht ....

E2 **Lesen Sie den Text.**

a Ergänzen Sie den „Steckbrief" für Birgitta Schulze.

Eltern/Geschwister?	....	Beruf?	....
Verheiratet – wann/mit wem?	....	Hobbys?	....
Kinder?	....		

b In welchen Lebensabschnitten war sie sehr glücklich / glücklich / zufrieden / unglücklich? Was meinen Sie?

Ich denke, mit 26 Jahren war sie zufrieden, weil sie ...

Alles, nur nicht stehen bleiben, Birgitta!
Frau Schulze und sechs Abschnitte aus ihren 66 Lebensjahren

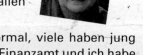

„**Mit 16 hast du natürlich Träume.** Ich wollte zum Theater. Aber meine Mutter konnte die Schauspielschule nicht bezahlen. Mein Vater ist im Krieg gefallen und wir waren ja fünf Geschwister."

„**Mit 26 habe ich das dritte Kind bekommen.** Damals war das ganz normal, viele haben jung geheiratet. Mein Mann ist fast zehn Jahre älter als ich. Er war Beamter im Finanzamt und ich habe mich um Kinder und Haushalt gekümmert."

„**Mit 36 war ich oft müde.** So ein Leben als Hausfrau und dreifache Mutter ist wirklich ganz schön anstrengend. Ich habe gedacht: wenn die Kinder aus dem Haus sind, kommt auch wieder eine leichtere Zeit."

„**Mit 46 waren die Kinder weg** und es ist mir nicht besser gegangen, sondern richtig schlecht. Ich hatte Depressionen und überhaupt keine Idee, was ich jetzt noch machen sollte. Mein Leben hat auf einmal still gestanden."

„**Mit 56 ging es mir wieder besser.** Die Krise war vorbei und ich hatte neue Aufgaben. Ich war aktives Mitglied bei Amnesty International und in unserem Kulturverein. Und dreifache Oma war ich auch."

„**Heute bin ich 66 und fühle mich prima.** Mein Mann ist schon seit Jahren in Pension, wir genießen unser Leben, wir reisen viel und haben inzwischen fünf Enkelkinder. Und mein Jugendtraum ist auch noch wahr geworden: Seit zwei Jahren spiele ich in einer Theatergruppe mit."

E3 **Lebensabschnitte**

Ergänzen Sie die Sätze und erzählen Sie im Kurs: Was haben Sie in dieser Zeit erlebt, was planen Sie für diesen Lebensabschnitt?

meine Träume

meine Pläne/Aufgaben

meine Familie

mein Beruf

meine Freunde

Mit 16 Jahren ...
Mit 26 Jahren ...
Mit 36 Jahren ...
Mit 46 Jahren ...
Mit 56 Jahren ...
Mit 66 Jahren ...

Mit 16 Jahren hatte ich einen Traum: Ich wollte im Ausland studieren und die Welt kennenlernen.
Mit 26 Jahren habe ich mein Studium beendet. Ich war schon ein halbes Jahr im Ausland.
Mit 36 Jahren möchte ich schon verheiratet sein und viele Kinder haben. Und ich möchte noch einmal ins Ausland gehen.
Mit 46 Jahren möchte ich Erfolg in meinem Beruf haben. Und ich hoffe, dass meine Eltern noch fit sind. Sie sind dann schon ziemlich alt.
Mit

Grammatik

1 Wiederholung: Perfekt

regelmäßige und unregelmäßige Verben	trennbare Verben	nicht-trennbare Verben	Verben auf *-ieren*
ge**spiel**t	*auf*ge**hör**t	*ver***letz**t	pass**iert**
ge**komm**en	*auf*ge**wachs**en	*be*komm**en**	

2 Wiederholung: Präteritum

	sein	haben	wollen	dürfen	können	müssen	sagen	kommen
ich/er/es/sie	**war**	**hatte**	**wollte**	**durfte**	**konnte**	**musste**	**sagte**	**kam**

3 Wiederholung: Konjunktiv II

Wunsch		Aufforderung/Vorschlag	Ratschlag
ich **hätte** (gern) ...	ich **würde** (gern) ... nennen	wir **könnten** ...	du **solltest** ...
ich **wäre** (gern) ...	ich **möchte** ...		

4 Wiederholung: Wortbildung

a Adjektive

Nomen/Verb	→	Adjektiv
Lust	→	lustig
Einfall	→	einfallslos
danken	→	dankbar

Adjektiv	→	Adjektiv
angenehm	→	unangenehm

b Nomen

Komposita: Nomen + Nomen

die Arbeit + der Kollege = der Arbeitskollege

das Tier + die Welt = die Tierwelt

Nomen	→	Nomen
der Partner	→	die Partnerin
die Schwester	→	das Schwesterchen
das Haus	→	das Häuschen

Verb	→	Nomen
befragen	→	die Befragung
rauchen	→	der Raucher

5 Wiederholung: Satzverbindungen

a Hauptsatz + Nebensatz: Konjunktionen *wenn, weil, dass*

Du wirst es ja sehen,	**wenn**	du mich	**besuchst.**
Sie haben gestritten,	**weil**	sie sich nicht einigen	**konnten.**
Schön,	**dass**	du	**kommst.**

b Hauptsatz + Hauptsatz: Konjunktionen *aber, denn, deshalb, trotzdem*

Das ist auch so ein Problem,	**aber**	Justus ist einfach nicht streng genug.
Wir streiten oft,	**denn**	für uns gehört das zu einer glücklichen Ehe.
Du hast fast nie Zeit für mich –	**deshalb**	bin ich öfters mal sauer.
Ich räume dauernd auf,	**trotzdem**	findet Justus mich unordentlich.

Herzlichen Glückwunsch, Sie haben es geschafft! Vierzehn Lektionen lang haben Sie Ihre Sprachkenntnisse Schritt für Schritt verbessert und sind damit ein großes Stück vorwärts gekommen. Mit dieser Doppelseite gehen die Bände 3 und 4 von Schritte international nun zu Ende.

Erinnern Sie sich noch an den Anfang, ans Kennenlernen in Lektion 1? Wir haben Ihnen damals Begrüßungswörter aus den deutschsprachigen Ländern vorgestellt. Nun ist die Zeit für Abschiedswörter gekommen, denn anfangen und aufhören, ankommen und weggehen, einsteigen und aussteigen gehören untrennbar zusammen – schließlich will man ja in Bewegung bleiben, nicht wahr? Und man könnte es auch so sehen: Abschied ist eine Voraussetzung fürs Wiedersehen. Vielleicht schon im nächsten Deutschkurs mit den Bänden 5 und 6 von *Schritte international*? Wir würden uns sehr freuen, wenn Ihre „Deutsch-Reise" weitergeht.

Also …

Bis dann!   *Tschö!*   *Servus!*

Tschüs!   *Bis bald!*   *Auf Wiedersehen!*

Salü!   *Auf Wiederluege!*   *Ade!*

Tschau!   **Wir sehen uns!**

---

1   **Sammeln Sie alle Abschiedswörter auf der Seite.**
Welche kommen wohl aus Deutschland, welche aus Österreich und welche aus der Schweiz?

CD 2 66–67 **2**   **Hören Sie nun die Liedausschnitte 4 und 5 und singen Sie mit.**

CD 2 68–69 **3**   **Karaoke. Hören Sie die Melodien ohne Text und singen Sie selbst.**

4   **Schreiben Sie nun selbst ein kleines Abschiedsgedicht.**
Verwenden Sie Abschiedswörter.

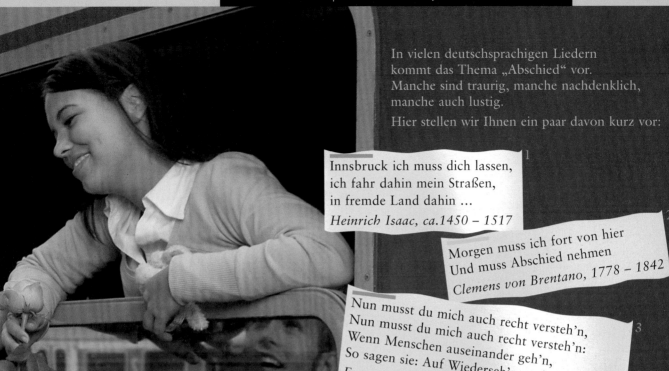

In vielen deutschsprachigen Liedern kommt das Thema „Abschied" vor. Manche sind traurig, manche nachdenklich, manche auch lustig.

Hier stellen wir Ihnen ein paar davon kurz vor:

1

Innsbruck ich muss dich lassen,
ich fahr dahin mein Straßen,
in fremde Land dahin ...
Heinrich Isaac, ca.1450 – 1517

2

Morgen muss ich fort von hier
Und muss Abschied nehmen
Clemens von Brentano, 1778 – 1842

3

Nun musst du mich auch recht versteh'n,
Nun musst du mich auch recht versteh'n:
Wenn Menschen auseinander geh'n,
So sagen sie: Auf Wiederseh'n, auf Wiederseh'n!
Ernst von Feuchtersleben, 1806 – 1849

4

Muss i' denn, muss i' denn zum Städtele hinaus,
Städtele hinaus und du, mein Schatz, bleibst hier!
(Wenn i' komm, wenn i' komm, wenn i' wieder, wieder komm,
wieder, wieder komm, kehr i' ein, mein Schatz, bei dir.)
Volkslied aus Schwaben, Anfang 19. Jh.

5

Winter, ade! Scheiden tut weh.
Aber dein Scheiden macht,
dass mir das Herze lacht.
Winter, ade! Scheiden tut weh.
Heinrich Hoffmann von Fallersleben, 1798 – 1874

6

Auf Wiederseh'n mein Fräulein,
auf Wiederseh'n mein Herr,
es war mir ein Vergnügen, ich danke Ihnen sehr.
Dieser Abend war so reizend, drum frag' ich bitte schön:
Wann kommen Sie wieder?
Wann kommen Sie wieder?
Ich muss Sie wiederseh'n!
Comedian Harmonists (20er und 30er-Jahre des 20. Jh.)

7

Gute Nacht, Freunde,
es wird Zeit für mich zu geh'n.
Was ich noch zu sagen hätte,
dauert eine Zigarette
und ein letztes Glas im Steh'n.
(Reinhard Mey, 1972)

8

Sag beim Abschied leise ‚Servus',
nicht ‚Lebwohl' und nicht ‚Adieu'.
Diese Worte tun nur weh!
Doch das kleine Wörterl ‚Servus'
ist ein lieber letzter Gruß,
wenn man Abschied nehmen muss.
*(Siegfried Tisch und
Hans J. Lengsfelder, 1936)*

9

Junge, komm bald wieder, bald wieder nach Haus.
Junge, fahr nie wieder, nie wieder hinaus.
Ich mach mir Sorgen, Sorgen um dich.
Denk auch an morgen, denk auch an mich.
(Freddie Quinn, 1962)

Fragebogen: Was kann ich schon?

Das kann ich sehr gut. Das kann ich. Das übe ich noch.

Hören

	Das kann ich sehr gut.	Das kann ich.	Das übe ich noch.
Ich kann Veranstaltungstipps im Radio verstehen: *Am nächsten Samstag beginnt in Berlin wieder der „Karneval der Kulturen". Dieses Straßenfest ist inzwischen weit über die Grenzen von Berlin hinaus bekannt. ...*			
Ich kann Interviews verstehen: *Wofür geben Sie Ihr Geld aus? – Also, am meisten gebe ich sicher für meine Miete aus. ...*			
Ich kann komplexere Nachrichten auf dem Anrufbeantworter verstehen: *Hier Praxis Dr. Camerer. Wir müssen leider den Termin für Ihre Untersuchung und die Grippeimpfung verschieben. ...*			
Ich kann komplexere Wegbeschreibungen verstehen: *Also, du gehst rechts, also Richtung Stadtmitte, immer die Fünffensterstraße entlang, bis zum Rathaus ...*			
Ich kann Verkehrsmeldungen verstehen: *In weiten Teilen Baden-Württembergs dichter Nebel. Fahren Sie bitte ganz besonders vorsichtig.*			
Ich kann ein Gespräch im Reisebüro verstehen: *Wann wollen Sie denn fliegen? – Am 15. September. – Oh, das tut mir leid, aber ...*			

Lesen

Ich kann einen Veranstaltungskalender verstehen: *Weihnachtsstücke für Klavier und Orchester im Berliner Dom. Studenten-Ermäßigung.*			
Ich kann eine Leserumfrage verstehen: *Unsere Leserumfrage: Wochenend' und Sonnenschein*			
Ich kann einfache Briefe, E-Mails und Postkarten lesen: *Lieber Lukas, schön, dass du mich bald besuchst. ...*			
Ich kann Tests und ihre Auswertung verstehen: *Welcher Handytyp sind Sie?*			
Ich kann Zeitungstexte zu aktuellen Themen verstehen: *Dichter Nebel verhindert Starts und Landungen am Flughafen Köln-Bonn. ...*			
Ich kann Wettervorhersagen verstehen: *In der Nacht hört der Regen in Norddeutschland langsam auf. ...*			
Ich kann Sicherheitshinweise verstehen: *Im Straßenverkehr muss man oft plötzlich bremsen. Deshalb müssen die Bremsen einwandfrei funktionieren.*			
Ich kann Texte in einer Zeitschrift verstehen: *Hässlich oder schön, traurig oder lustig – mit manchen Gegenständen verbinden wir sofort eine Erinnerung. ...*			
Ich kann Anzeigen in Reiseprospekten verstehen: *Wunderschöner Campingplatz in ruhiger Umgebung. Nur fünf Minuten zum Strand. ...*			
Ich kann Statistiken und Meinungsumfragen lesen und auswerten: *Worüber streiten Paare am häufigsten?*			

Sprechen

Ich kann Gegensätze ausdrücken: *Nina soll nicht so lange schlafen. Trotzdem bleibt sie bis zehn Uhr im Bett.*			
Ich kann Wünsche äußern: *Ich wäre jetzt gern in Berlin. / Ich hätte gern mal ein bisschen Ruhe.*			
Ich kann Vorschläge machen: *Wir könnten mal wieder Karten spielen.*			

Ich kann Vorschläge annehmen oder ablehnen: *Einverstanden. / Schade, das geht leider nicht. / Ich bin dagegen.*

Ich kann meine Meinung sagen: *Ein braunes Sofa? Das passt doch nicht zu einem Schrank mit schwarzen Türen.*

Ich kann Dinge miteinander vergleichen: *Ich finde die Kette schöner als die Ohrringe. / Ein neuer Computer ist mir genauso wichtig wie eine neue Musikanlage.*

Ich kann über Gegenstände sprechen: *Die Kette habe ich von meinem Freund bekommen. Ich finde sie schön, weil ...*

Ich kann mich entschuldigen: *Es tut mir schrecklich leid, dass ich gestern nicht gekommen bin.*

Ich kann eine Geschichte nacherzählen: *Aber dann stellt Maria fest, dass ...*

Ich kann Ortsangaben machen und Wege beschreiben: *Du fährst bis zur nächsten Kreuzung. Da musst du links abbiegen.*

Ich kann etwas begründen: *Ich hatte schon zwei Unfälle mit dem Rad. Deshalb fahre ich jetzt immer mit Helm.*

Ich kann über Reiseziele sprechen, Reisen planen und eine Reise im Reisebüro buchen: *Wir könnten in die Sahara fahren. / Ich möchte eine Reise nach ... buchen. / Wie lange dauert denn der Flug?*

Ich kann mich nach Zahlungsmöglichkeiten erkundigen: *Ich wollte fragen, ob Sie auch Kreditkarten akzeptieren?*

Ich kann mich über Dienstleistungen unterhalten: *Reparierst du dein Fahrrad selbst oder lässt du es reparieren?*

Ich kann von meiner Kindheit erzählen: *Ich bin auf dem Land aufgewachsen, in einem kleinen Dorf. ...*

Ich kann über meine Pläne sprechen: *Mit 46 Jahren möchte ich Erfolg im Beruf haben. Und ich hoffe, dass meine Eltern noch fit sind.*

Schreiben

Ich kann eine schriftliche Wegbeschreibung machen: *Du fährst am besten immer die B304 entlang. Du kommst ...*

Ich kann Einladungen schreiben und Vorschläge machen: *Liebe ..., komm doch mal nach Frankfurt. Ich möchte dir so gern den „Römer" zeigen. ...*

Ich kann E-Mails über meine Pläne schreiben: *Also, bei mir wird das Wochenende so: Am Freitagabend ...*

Ich kann einen Gegenstand beschreiben: *Mein Lieblingsgegenstand ist eine Uhr. Ich habe sie selbst gekauft. Ich mag sie, weil ...*

Ich kann E-Mails schreiben und etwas empfehlen: *Lieber Herr Tsara, im Moment ist es bei uns sehr kalt. Nehmen Sie deshalb am besten warme Kleidung mit.*

Ich kann einen Kommentar in einem Internetforum schreiben: *Das finde ich gut. Man sollte auch als Lottogewinner normal weiterleben. ...*

Ich kann Formulare mit meinen persönlichen Daten ergänzen: *Wohnort: ...*

Inhalt Arbeitsbuch

Das Wetter ist nicht besonders schön.
Trotzdem wollen wir mal für zwei Tage raus hier.

A1 **1** **Was machen die Leute am Wochenende? Lesen Sie die Texte und ordnen Sie zu.**

A | B | C | D

Unsere Leserumfrage: Wochenend' und Sonnenschein

Seit Wochen ist das Wetter schlecht. Jetzt sagt der Wetterbericht endlich: Es wird warm und sonnig.
Wir haben unsere Leser gefragt: Was machen Sie am nächsten Wochenende?

1 Wir machen gern Ausflüge. Am Wochenende wollen wir mit der Bahn in die Berge fahren und dort den ganzen Tag bleiben. Mein Mann sagt: „Ein Tag in den Bergen ist wie eine Woche Urlaub." *Marianne Werner, Postangestellte*

2 Das Wetter wird warm? Dann gehen wir am Sonntag mit der ganzen Familie an den Kirchweiler See. Wir nehmen Essen und Getränke mit. Einen Ball haben wir auch dabei und wir spielen viel Fußball. Leider ist der Sonntag immer schnell vorbei. *Fausto Grimaldi, Fahrer*

3 Ich arbeite viel und komme immer sehr spät von der Arbeit nach Hause. Am Wochenende ruhe ich mich aus. Bei schönem Wetter sitze ich im Garten und mache gar nichts. Und wenn am Abend ein guter Film im Fernsehen kommt, bin ich glücklich. *Klaus Windlich, Abteilungsleiter*

4 Am Wochenende schlafe ich lange. Ich stehe auf keinen Fall vor 11 Uhr auf. Aber am Nachmittag spiele ich Fußball oder gehe ins Schwimmbad. Da kann ich meine Freunde treffen. *Peter Lustig, Schüler*

A1 **2** **Warum machen die Leute das? Ordnen Sie zu.**

a Familie Werner fährt in die Berge.   Er muss in der Woche viel arbeiten.
b Fausto Grimaldi geht mit der Familie   Er kann da seine Freunde treffen.
an den Kirchweiler See.   Das ist wie eine Woche Urlaub.
c Klaus Windlich sitzt im Garten und ruht sich aus.   Er kann dort mit den Kindern
d Peter Lustig geht ins Schwimmbad.   Fußball spielen.

Wiederholung **3** **Schreiben Sie die Sätze aus Übung 2 mit *weil*.**
Schritte int. 3
Lektion 1
a Familie Werner fährt in die Berge, *weil das wie eine Woche Urlaub ist.*
b Fausto Grimaldi geht mit der Familie an den Kirchweiler See, …
c Klaus Windlich sitzt im Garten und ruht sich aus, …
d Peter Lustig geht ins Schwimmbad, …

A1 **4** **Es regnet am Wochenende! Schreiben Sie Sätze mit *trotzdem*.**

a Aber Familie Werner fährt in die Berge.
Trotzdem fährt Familie Werner in die Berge.
b Aber Familie Grimaldi geht an den Kirchweiler See.

....
c Aber Herr Windlich sitzt ungefähr drei Stunden im Garten.

....
d Aber Peter Lustig geht ins Schwimmbad.

....

5 **Und was machen Sie am Wochenende?**
Schreiben Sie eine Mail nach Deutschland. Schreiben Sie wie in Übung 1.

Ich mache gern ... ● Am liebsten ... ●
Ich gehe immer ... ● Da kann/will ich ... ●
Trotzdem ... ● weil ... ● ...

mit Freunden treffen ● Fußball/
Tennis ... spielen ● Ausflüge machen ●
nichts tun ● lange schlafen ● ...

> Lieber Fred,
> danke für Deine Mail. Das ist ja interessant, was Du am
> Wochenende machen willst. Also, bei mir wird das Wochenende so:
> Am Freitagabend ...

6 **Schreiben Sie Sätze wie im Beispiel mit *trotzdem*.**

a Ich habe heute keine Lust. Trotzdem übe ich eine halbe Stunde Klavier.
Ich übe trotzdem eine halbe Stunde Klavier.

b Ich habe kein Geld. Trotzdem fahre ich in Urlaub.

c Es ist eiskalt draußen. Trotzdem läuft deine Tochter im T-Shirt herum.

d Es gefällt mir so gut bei euch. Trotzdem muss ich gehen.

e Ich mag diesen Film nicht. Trotzdem gehe ich mit dir ins Kino.

7 **Machen Sie eine Tabelle und tragen Sie die Sätze b und c aus Übung 6 ein.**

a

Trotzdem	übe	ich	eine halbe Stunde Klavier.
Ich	übe	trotzdem	eine halbe Stunde Klavier.

b ...

8 **Was passt? Ordnen Sie zu und schreiben Sie Sätze mit *trotzdem*.**

a Es regnet.   Ich schaue mit meinen Freunden einen Videofilm an.
b Ich muss lernen.   Ich höre es mit dir an.
c Ich mag dieses Musikstück nicht.   Er geht nicht ins Bett.
d Er ist müde.   Er isst viel Süßes.
e Er ist zu dick.   Wir fahren Fahrrad.

Es regnet. Trotzdem fahren wir Fahrrad.

9 **Was machen Sie manchmal trotzdem? Schreiben Sie.**

Ich bin müde. Trotzdem ...   Ich habe keine Lust. ...
Ich muss lernen. ...   Es kommt abends nichts Interessantes im Fernsehen. ...
Es regnet. ...   Ich will nicht streiten. ...

B1

10 Wünsche!

a Was passt? Ordnen Sie zu.

1 Ich bin im Büro.   Ich würde lieber ans Meer fahren.
2 Ich habe einen Hund.   Ich hätte lieber eine Katze.
3 Wir fahren in die Berge.   Ich wäre lieber im Schwimmbad.

b Ergänzen Sie die Formen.

1 Ich bin …   *Ich wäre* ....

2 Ich habe …   ....

3 Wir fahren, tanzen, gehen spazieren   ....

B2

11 Was passt? Kreuzen Sie an.

a Ich liebe Tiere. Ich ☐ würde ☐ wäre ☒ hätte gern eine Katze.
b Das Wetter ist so schön und ich sitze im Büro. Ich ☐ würde ☐ wäre ☐ hätte lieber spazieren gehen.
c Immer ist es so laut bei uns. Ich ☐ würde ☐ wäre ☐ hätte gern mal ein bisschen Ruhe.
d Ich bin krank. Ich ☐ würde ☐ wäre ☐ hätte lieber gesund.
e Meine Eltern gehen im Urlaub immer in die Berge. Ich ☐ würde ☐ wäre ☐ hätte lieber ans Meer fahren.
f Ich möchte tanzen. Ich ☐ würde ☐ wäre ☐ hätte jetzt am liebsten in der Disko.

B2

12 Schreiben Sie Sätze mit *wäre – hätte – würde.*

a Sie muss arbeiten. – in der Sonne liegen
    Sie würde lieber in der Sonne liegen. ....

b Ich bin so allein. – bei dir sein
    ....

c Er muss für die Schule lernen. – mit Freunden ins Schwimmbad gehen
    ....

d Wir müssen noch eine Übung schreiben. – auf dem Balkon sitzen
    ....

e Es regnet und ich muss noch nach Hause gehen. – schon zu Hause sein
    ....

f Ich muss arbeiten. – Urlaub haben
    ....

B2

13 Ich wäre auch gerne … Schreiben Sie.

a ● Hallo, wo bist du gerade?
    ■ Ich liege gerade im Garten. Das Wetter ist herrlich.
    ● *Oh, da wäre ich jetzt auch gern. / Oh, ich würde* ....
       auch gern im Garten liegen. ....

b ▲ Weißt du, ich habe heute frei und sitze im Garten.
    ● ....

c ▼ Ich bin gerade am Flughafen. In einer Stunde fliege ich nach Brasilien.
    ● ....

d ◆ Wir sind kurz vor dem Feldberg. Wir machen gerade einen Ausflug.
    ● ....

14 **Notieren Sie im Lerntagebuch.**
Schreiben Sie und zeichnen Sie.

LERNTAGEBUCH

Mein Alltag

Ich bin den ganzen Tag zu Hause.
Jeden Tag muss ich den Haushalt machen.
Immer ...

Meine Wünsche

Ich würde lieber in der Sonne liegen.
Ich hätte gern einen Garten.
Ich ...

Phonetik 2 |
15 **Hören Sie und achten Sie auf die Betonung ⁄. Welches Wort ist am stärksten betont? Unterstreichen Sie.**

a Michael hätte gern ein neues Fahrrad. Er würde sehr gern eine Radtour nach Wien machen.

b Franziska wäre gern schon achtzehn. Sie würde so gern den Führerschein machen.

c Ich wäre jetzt gern bei meiner Freundin in Hamburg. Ich würde ihr so gern meine Probleme erzählen.

d Ich bin Verkäuferin. Ich hätte gern eine andere Arbeit. Ich würde gern mit Kindern arbeiten.

Lesen Sie die Sätze laut: zuerst langsam, dann schnell.

Phonetik
16 **Schreiben Sie einen Wunsch wie in Übung 15 c oder d und markieren Sie die Betonung ⁄.**
Lesen Sie dann laut: zuerst langsam, dann schnell.

....

Phonetik 03 |
17 **Hören Sie und achten Sie auf die Betonung ⁄‿ und die Pausen: | = kurz, ‖ = länger.**

Ich arbeite viel ➔ | und komme immer sehr spät nach Hause. ▮ ‖
Am Wochenende ruhe ich mich aus. ▮ ‖ Bei schönem Wetter sitze ich im Garten ▮ |
und mache gar nichts. ▮ ‖ Und wenn am Abend ein guter Krimi im Fernsehen kommt, ▮ |
bin ich glücklich. ▮

04 |
Hören Sie noch einmal und markieren Sie die Satzmelodie ↘ →.
Lesen Sie dann den Text laut.

Phonetik
18 **Was haben Sie letztes Wochenende gemacht? Schreiben Sie.**
Markieren Sie die Pausen | ‖ , die Betonung ⁄‿ und die Satzmelodie → ↘ .
Lesen Sie dann den Text vor.

Am Freitagabend bin ich ...

C1

19 **Was könnte ich machen? Schreiben Sie.**

a ● Ich brauche ein bisschen Bewegung.
 ■ Dann mach doch einen Spaziergang!
 Du könntest einen Spaziergang machen. .

b ▲ Ich würde gern mal wieder einen Film sehen.
 ● Dann geh doch ins Kino.
 Du könntest .

c ▼ Meine Oma hat nächste Woche Geburtstag.
 ◆ Schenk ihr doch Blumen.
 .

d ■ Ich möchte ein Fußballspiel sehen.
 ▲ Geh doch am Samstag ins Stadion. Da spielt Freiburg gegen Kaiserslautern.
 .

e ● Das Wetter ist heute in den Bergen so schön.
 ◆ Dann mach doch einen Ausflug.
 .

C4

20 **Bringen Sie die Sätze in die richtige Reihenfolge.**

a 6 ■ Ja, das geht bei mir.
 3 ● Gute Idee. Das machen wir.
 1 ● Was machen wir am Wochenende? Hast du eine Idee?
 7 ● Also dann, bis Sonntag.
 5 ● Wie wäre es am Sonntag um zehn?
 2 ■ Wir könnten einen Ausflug machen.
 4 ■ Wann sollen wir uns treffen?

b ☐ ▲ Schade, das geht leider nicht. Meine Mutter kommt zu Besuch.
 Aber wie wäre es in zwei Wochen?
 ☐ ▲ Das ist ja toll! Wir haben schon lange nicht mehr zusammen gefrühstückt.
 1 ▼ Hallo, Susi. Du, ich würde dich gern zum Frühstück einladen.
 ☐ ▼ Da kann ich leider nicht. Da bin ich bei Freunden in Dresden.
 ☐ ▼ Hast du am Sonntagmorgen Zeit?
 ☐ ▲ Na dann, vielleicht ein anderes Mal. Ich rufe dich nächste Woche
 nochmal an.

21 Hast du Zeit?

a Ergänzen Sie die Gespräche.

1 das geht bei mir ● Wie wär's ● Idee ● Also, dann ● Warum nicht ● Lust ● Wir könnten mal

● Hallo, wie geht's dir?
■ Danke, gut. Wir haben uns lange nicht gesehen. *Wir könnten mal* wieder was zusammen unternehmen. Hast du *Lust* ?
● Gute *Idee* .
■ *Wie wär's* mit Kino?
● *Warum nicht* ? Im Tivoli läuft gerade ein toller Film.
■ Hast du morgen Abend Zeit?
● Ja, *das geht bei mir* .
■ *Also, dann* bis morgen Abend.

2 Schade ● es tut mir sehr leid ● trotzdem vielen Dank für die Einladung ● einladen

▲ Guten Tag, Frau Müller.
▼ Guten Tag, Frau Huber.
▲ Am 7. August, also in zwei Wochen, feiert mein Mann seinen 40. Geburtstag. Wir würden Sie und Ihren Mann gern zu einem Glas Sekt *einladen* .
▼ Das ist sehr nett, Frau Huber. Aber *es tut mir sehr leid* , das geht leider nicht. Da sind wir in Urlaub.
▲ *Schade* , dass Sie nicht kommen können.
▼ Ja, sehr schade, aber *trotzdem vielen Dank für die Einladung* .

b Hören Sie und vergleichen Sie. 5-06

22 Ergänzen Sie.

lieber in die Disko gehen ● Warum nicht, vielleicht italienisch ● leidtun, keine Lust haben ● guter Vorschlag sein, Stuttgart gegen Hamburg spielen ● leider nicht, gestern schon auf dem Markt

a ● Ich würde gern Karten spielen. ☹
■ *Tut mir leid, aber ich habe keine Lust.*

b ▲ Wir könnten am Wochenende ein Fußballspiel ansehen. ☺
■ *Das ist ein guter Vorschlag. Stuttgart spielt gegen Hamburg.*

c ▼ Ich würde am Samstagabend gern ins Kino gehen. ☹
● *Ich würde lieber in die Disko gehen.*

d ■ Ich gehe morgen auf dem Markt einkaufen. Kommst du mit? ☹
◆ *Leider nicht. Ich bin gestern schon auf den Markt gewesen.*

e ▲ Ich schlage vor, wir gehen heute Abend mal wieder essen. Hast du Lust? ☺
▼ *Warum nicht. Wie wäre es mit italienisch?*

23 Schreiben Sie kurze Gespräche.

a ☹ Tennis spielen – krank sein – in zwei Wochen wieder
b ☺ einen Ausflug machen – am nächsten Wochenende – wohin gehen
c ☺ ins Museum gehen – morgen Nachmittag – wann genau treffen
d ☹ Donnerstagabend essen gehen – keine Zeit haben – vielleicht Freitag

a ● *Ich würde gern mit dir Tennis spielen.*
■ *Schade, das geht leider nicht. Ich bin*
● *vielleicht*

D1   **24**   **Was passt? Kreuzen Sie an.**

	gehen	bleiben	fahren	machen	besuchen	spielen	anschauen	schlafen
Tennis						x	x	
Freunde								
tanzen								
einen Ausflug								
spazieren								
bis elf Uhr								
ein Fußballspiel								
ins Schwimmbad								
eine Radtour								
Skateboard								
zu Hause								

D4 Prüfung **25**   **Einen Ausflug planen**

Sie möchten mit ein paar Freunden aus Ihrem Deutschkurs am Samstag einen Ausflug machen.
Überlegen Sie, wohin Sie fahren könnten. Jeder bekommt ein Aufgabenblatt mit Vorschlägen.

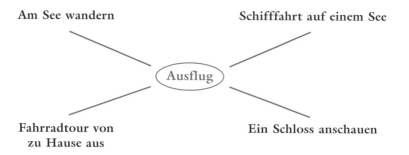

a **Notieren Sie zu jedem Vorschlag ein Stichwort auf ein Blatt.**

Was finden Sie gut, was finden Sie nicht so gut? Warum? Schreiben Sie.

Wandern: nicht gut; weit fahren, zu viel mitnehmen, zu anstrengend
Schifffahrt: gut; lustig, aber teuer
…

b **Was kann man sagen? Schreiben Sie.**

Wir könnten …   *Das finde ich gut.*   *Ich würde lieber …*
Ich hätte Lust auf … ☺ *Das ist eine gute Idee.* ☹ *Das ist doch zu langweilig/*
Ich …   *Einverstanden.*   *weit/teuer/…*
                             Prima.   *…*
                             …

c **Sprechen Sie über die Vorschläge. Arbeiten Sie zu zweit.**

● Wir könnten wandern.
■ Ich weiß nicht. Da müssen wir erst weit fahren.
● Wir können die S-Bahn nehmen, das ist schnell und nicht teuer.
■ Ich würde aber lieber eine Fahrradtour machen, da können wir
  direkt von zu Hause losfahren.
● Das ist eine gute Idee. Das machen wir.
■ Prima, wann sollen wir uns treffen?

d **Präsentieren Sie Ihre Gespräche im Kurs.**

26   Welches Wort passt nicht? Streichen Sie.

a Museum – Theater – Ausstellung – Ausflug – Konzert
b Spaziergang – Museum – Tanz – Wandern – Jogging
c Kneipe – Lokal – Kino – Bar – Restaurant
d Volkshochschule – Disko – Party – Fest – Familienfeier

Prüfung **27   Ein Wochenende in einer deutschen Stadt**

Sie möchten eine Reise durch Deutschland machen und informieren sich
über die Freizeitangebote in einer Stadt.
Lesen Sie die Aufgaben 1–5 und die Informationen auf der Internet-Homepage.
Welchen Link klicken Sie an? Kreuzen Sie an: a, b oder c.

Beispiel:
0 Sie möchten mit Ihrer Familie in den Zoo gehen.
a Landschaft und Geschichte
b Touristische Informationen & Service
☒ anderer Link

```
  Microsoft-Websites    MSN-Websites    Apple

→  Veranstaltungen & Kulturelles
   Diskotheken, Kino, Museen & Galerien, Theater, Oper, Konzert, Programm für Senioren

→  Städtetouren
   Stadtrundgänge und -rundfahrten, Themenrundgänge, Stadtführungen

→  Historische Bauten
   Kirchen & Klöster, Burgen & Schlösser

→  Freizeitparks & Gärten
   Gärten, Parks, Tiergärten und Freizeitparks

→  Landschaft und Geschichte
   Typische Landschaften und die geschichtliche Entwicklung der Heimat

→  Kneipen, Lokale, Grillplätze & Co.
   Platz für Freunde von Essen und Trinken

→  Touristische Informationen & Service
   Tourist Information, Eintrittskarten, Zimmervermittlung: Privat und Hotelzimmer

  Zone für lokale Computer
```

1 Sie lieben Musik und suchen eine
Veranstaltung mit klassischen Werken.
a Städtetouren
b Veranstaltungen & Kulturelles
c anderer Link

2 Sie möchten wissen, ob es eine Ausstellung
von Streichholzschachteln gibt.
a Veranstaltungen & Kulturelles
b Kneipen, Lokale, Grillplätze & Co.
c anderer Link

3 Sie möchten einen Spaziergang machen
und dabei die Stadt kennenlernen.
a Freizeitparks & Gärten
b Landschaft und Geschichte
c anderer Link

4 Sie möchten ein paar Tage in
der Stadt verbringen und suchen eine
Übernachtungsmöglichkeit.
a Touristische Informationen & Service
b Städtetouren
c anderer Link

5 Sie interessieren sich für Häuser
und Architektur.
a Veranstaltungen & Kulturelles
b Historische Bauten
c anderer Link

Lernwortschatz

Freizeitaktivitäten

Bar die, -s	....
Klavier das, -e	....
Klavier spielen, hat gespielt	....
Karten spielen, hat gespielt	....
Kneipe die, -n	....
Lokal das, -e	....

Spaziergang der, ⸚e	....
einen Spaziergang machen, hat gemacht	....
Video das, -s	....
Video schauen, hat geschaut	....
sammeln, hat gesammelt	....

Kultur

Ausstellung die, -en	....
Autor der, -en	....
Autorin die, -nen	....
Museum das, Museen	....

Tanz der, ⸚e	....
Stück das, -e	....
Werk das, -e	....
klassisch	....

Veranstaltungen

Eintrittskarte die, -n	....
Veranstaltung die, -en	....

(sich) an·melden, hat (sich) angemeldet	....

Weitere wichtige Wörter

Blatt das, ⸚er	....
Diskussion die, -en	....
Erzählung die, -en	....

Feuerwehr die	....
Gesicht das, -er	....
Heimat die	....

Leitung die ....

Luft die ....

Lüge die, -n ....

Macht die ....

Park der, -s ....

Reihe die, -n ....

Ruhe die ....

Rundfunk der ....

Schachtel die, -n ....

Senior der, -en ....

Streichholz das, ¨er ....

Übung die, -en ....

Volkshochschule
    die, -n ....

Vorschlag der, ¨e ....

(einen Tag)
    verbringen,
    hat verbracht ....

vor·schlagen,
    du schlägst vor,
    er schlägt vor,
    hat vorgeschlagen ....

(sich) wünschen,
    hat (sich) gewünscht ....

freiwillig ....

offen ....

prima ....

verliebt ....

außerhalb ....

einverstanden ....

gegenüber ....

trotzdem ....

ungefähr ....

auf keinen Fall ....

Welche Wörter möchten Sie noch lernen?

....

....

....

....

....

....

....

....

....

....

....

....

Wiederholung

1 **Wie heißt das Gegenteil? Ordnen Sie zu.**

a billig   klein   **b** lang   langweilig
  dick   dunkel   interessant   leicht
  groß   teuer   neu   kurz
  hell   dünn   schwer   alt

Wiederholung

2 **Verrückter Flohmarkt. Ergänzen Sie.**

dick ● groß ● lang ● alt ● klein ● kurz

▼ Wie gefällt/gefallen Ihnen ...?

a die Kette?   ■ Die ist nicht schlecht. Aber sie ist viel zu _lang_ .

b das Regal?   ■ Das ist zu .... Da passt doch gar kein Buch rein.

c der Tisch?   ■ Nein, die Beine sind zu ....

d das Buch?   ■ Das ist mir zu ....

e das Handy?   ■ Das ist doch viel zu ....

f diese Schuhe? ■ Ach, die sind zu ....

A1

3 **Ergänzen Sie: *der – das – die*.**

a .... Kette   Das ist eine lang**e** Kette.   **d** .... Bücher   Das sind interessant**e** Bücher.

b .... Tisch   Das ist ein rund**er** Tisch.   **e** .... Gläser   Das sind keine schön**en** Gläser.

c .... Handy   Das ist ein gut**es** Handy.

A1
Grammatik
entdecken

4 **Ergänzen Sie die Tabelle.**

maskulin	der Tisch	Das ist ...	ein	rund _er_	Tisch.
neutral	das Handy		ein	groß	Handy.
feminin	die Kette		eine	lang	Kette.
Plural	die (viele) Bücher	Das sind ...	–	interessant _e_	Bücher.
			keine	interessant	Bücher.

A2

5 **Was ist das? Schreiben Sie.**

■ Was ist denn das?
▲ Das ist/sind ...

a Flohmarkt, klein   ▲ _ein kleiner Flohmarkt_ .

b Lampe, gut   ▲ ....

c Buch, billig   ▲ ....

d Tisch, rund   ▲ ....

e Stühle, bequem   ▲ ....

A2

6 **Was ist richtig? Kreuzen Sie an.**

a Das ist aber ein   ☐ groß ☐ große ☒ großes   Handy!

b Das ist aber ein   ☐ schön ☐ schöne ☐ schönes   Besteck!

c Das ist aber ein   ☐ klein ☐ kleine ☐ kleiner   Tisch!

d Das sind aber   ☐ alt ☐ alte ☐ alten   Schuhe!

e Das ist aber eine ☐ lang ☐ lange ☐ langen   Halskette!

7 Was hat Claudia wirklich vom Flohmarkt mitgebracht? Vergleichen Sie mit dem Einkaufszettel.

a *Das sind keine tiefen Teller, das sind flache Teller.*

b ....

c ....
....

d ....
....

e ....

f ....
....

- Teller, tief
- Gläser, groß
- Jacke, schwarz
- Radio, alt
- Lampe, billig
- Löffel, neu

8 Und was nimmst du? Ergänzen Sie: *e – en – es*.

a ▲ Nimmst du diese Lampe?　● Ja, ich brauche so eine hell*e*......... Lampe.
b ▲ Und den Tisch?　● Nein, ich brauche keinen rund........... Tisch.
c ▲ Und das Handy hier?　● Nein, ich habe schon ein gut........... Handy.
d ▲ Möchtest du diese Bücher?　● Ja, ich liebe alt........... Bücher.
e ▲ Schau mal, die Gläser!　● Gute Idee, ich brauche auch noch schön........... Gläser!

9 Wir haben nur ...! Ergänzen Sie.

a ■ Ich suche ein*en*... neu*en*... Sessel.
　▼ Wir haben gar keine alt*en*... Sessel!
　　Wir haben nur neu*e*..... Sessel.
b ■ Ich suche ein........ hell........ Lampe.
　▼ Wir haben nur hell........ Lampen.
c ■ Ich suche ein........ billig........ Kamera.
　▼ Ja, wir haben sehr billig........ Kameras.
d ■ Ich suche ein........ interessant........ Buch.
　▼ Wir haben keine langweilig........ Bücher,
　　wir haben nur interessant........ Bücher.

10 Haben Sie ...? Schreiben Sie.

a Schrank, groß ☺
　◆ *Haben Sie einen großen Schrank* .... ?　● *Ja, wir haben große Schränke* ....

b Schal, dick ☹
　◆ .... ?　● *Nein,* ....

c Kanne, blau ☺
　◆ .... ?　● ....

d Regal, braun ☹
　◆ .... ?　● ....

e Kaffeemaschine, gut ☺
　◆ .... ?　● ....

f Zuckerdose, schön ☺
　◆ .... ?　● ....

B2

11   **Was passt? Kreuzen Sie an.**

a	Garantie haben Sie nur	☐ von ☒ bei ☐ aus	einer neuen Lampe.
b	Lampen kauft man am besten	☐ nach ☐ seit ☐ in	einem guten Geschäft.
c	Ich suche eine Lampe	☐ in ☐ mit ☐ bei	einem schönen Licht.
d	Diese Lampe habe ich	☐ mit ☐ bei ☐ von	einem alten Freund bekommen.
e	Diese dunkle Lampe passt nicht	☐ mit ☐ bei ☐ zu	meinen hellen Regalen.

B2

Grammatik entdecken

12   **Unterstreichen Sie die Endungen in Übung 11 und ergänzen Sie die Tabelle.**

maskulin	der Freund	von	ein.*em*....	alt.*en*.......	Freund
neutral	das Geschäft	in	ein...........	gut...........	Geschäft
feminin	die Lampe	bei	ein...........	neu...........	Lampe
Plural	die Regale	zu	mein...........	hell...........	Regalen

B2

13   **Ergänzen Sie.**

a   ● Was suchen Sie?   ■ Ich brauche einen Anzug mit ein.*er*.. elegant.*en*.. Jacke.

b   ■ Kann ich Ihnen helfen?   ▼ Ja, ich suche einen Kleiderschrank mit groß....... Türen.

c   ▲ Was ist denn das?   ■ Das ist ein Computer mit ein....... flach....... Bildschirm.

d   ▼ Haben Sie eine Frage?   ◆ Ja. Gibt es dieses Besteck auch mit klein....... und groß....... Löffeln?

e   ◆ Gefallen Ihnen diese Schuhe?   ● Nein. Ich brauche Schuhe mit ein....... weich....... Sohle.

B3

14   **Spielzeug ist aus ...? Kreuzen Sie an.**

	Stoff	Holz	Glas	Metall	Papier	Plastik
Spielzeug	x	x		x		x
Flaschen						
Kleider						
Möbel						
Fenster						
Autos						
Bücher						

B3

15   **Ergänzen Sie.**

Ich gehe mit mein.*er*..... best.*em*..... (**a**) Freundin auf den Flohmarkt. Sie braucht ein........ neu......... (**b**) Wecker. Der erste Händler hat groß.......... (**c**) Wecker. Da sagt meine Freundin: „Ihre Wecker sind zu groß, ich brauche ein.......... klein.......... (**d**) Wecker." Der zweite Händler hat sehr klein.......... (**e**) Wecker. Da sagt meine Freundin: „Ihre Wecker sind zu klein, ich brauche ein.......... groß.......... (**f**) Wecker." Der dritte Händler hat schön.........(**g**) Wecker. Aber sie sind zu leise. Meine Freundin sagt: „Ich brauche ein.......... laut..........(**h**) Wecker." Der vierte Händler hat sehr alt............ (**i**) Wecker. Meine Freundin sagt: „Ihre Wecker sind zu alt. Ich brauche ein.......... neu.......... (**j**) Wecker." Beim fünften Händler findet sie ein.......... nicht zu groß.......... (**k**), nicht zu klein.......... (**l**), nicht zu leis.......... (**m**) und nicht zu alt.......... (**n**) Wecker. „Endlich!", denke ich. Aber der Wecker hat kein Licht. Meine Freundin sagt: „Ich brauche einen Wecker mit ein.......... hell.......... (**o**) Licht!" Am Ende frage ich sie: „Was für einen Wecker hattest du denn vorher?" „Keinen", sagt sie. „Mein Handy war mein Wecker." „Dann kauf dir doch ein neu.......... (**p**) Handy!", sage ich. „Aber bitte nicht heute. Sonst gehst du noch den anderen Händlern ‚auf den Wecker‘!"

---

16 **Auf dem Flohmarkt – Hören Sie und sprechen Sie nach. Achten Sie auf den Rhythmus.**

Sieh mal da,
ein dicker, warmer Schal ● ein alter, großer Wecker ● ein schwarzes Regal ● ein tolles Besteck ●
eine schöne Kette ● eine schwarze Jacke ● schöne, alte Bücher ● billige Bildschirme ●
Ich brauche keinen dicken, warmen Schal, keinen alten, großen Wecker. ●
Ich brauche einen großen Schrank, einen langen Rock, einen eleganten Mantel.

---

17 *Sieh mal da, ein gelbes Fahrrad*. **Was passt zusammen? Sprechen Sie.**

| Sieh mal da, ... | ein eine | gelb...● rund...● alt...● billig... | Fahrrad ● Tisch ● Kamera ● Lampe |
| Ich möchte ... | einen ein | breit...● groß...● elegant...● klein... | Sofa ● Schrank ● Kleid ● Radio |

---

18 **Hören Sie und sprechen Sie nach.**

von einem alten Freund ● aus einem dünnen Stoff ● nach einem schönen Urlaub ●
in einem guten Geschäft ● zu einem tollen Konzert ● mit einer blauen Bluse ●
mit einer dicken Mütze ● mit langen Haaren ● mit roten Rosen ● aus frischen Tomaten

---

19 *Mit netten Leuten.* **Was passt zusammen? Sprechen Sie.**

in	einem einer	groß...● alt...● klein...●	Kaufhaus ● Buch ● Stadt ●
mit	–	nett...● braun...● freundlich...●	Leuten ● Augen ● Grüßen ●
aus	–	frisch...	Orangen

---

20 **Notieren Sie im Lerntagebuch.**

LERN TAGEBUCH

Das ist	der Schrank.	ein großer Schrank.
Das sind	die Schränke.	große Schränke.
		⚠ keine großen Schränke.
Wir kaufen	den Schrank.	...
Der Tisch steht neben	dem Schrank.	⚠ ...
Das ist	das Bett.	ein ...

C2 **21** Ergänzen Sie.

	(+)	(++)	(+++)		(+)	(++)	(+++)
a	*billig*	*billiger*	am billigsten	**h**			am jüngsten
b		*schöner*	am schönsten	**i**			am gesündesten
c			am leichtesten	**j**		*höher*	am höchsten
d		*besser*	am besten	**k**		*dunkler*	am dunkelsten
e			am längsten	**l**			am liebsten
f			am größten	**m**		*teurer*	am teuersten
g			am interessantesten	**n**		*mehr*	

C3 **22** Ergänzen Sie.

a schön: Heute ist das Wetter *schöner als* gestern. Aber *am schönsten* war es letzte Woche.

b leicht: Aufgabe 11 ist .... Aufgabe 7. Aber .... ist Aufgabe 3.

c gut: Kuchen schmeckt mir .... Schokolade. Aber .... schmeckt mir Eis.

d lang: Eine U-Bahn ist .... ein Bus. Aber .... ist ein Zug.

e hoch: Ein Wohnhaus ist .... ein Gartenhaus. Aber .... ist ein Hochhaus.

f gesund: Gemüse ist .... Eis. Aber .... ist Schokolade, sagt meine Tochter.

g jung: Papa ist .... Mama. Aber .... bin ich, die Julia.

h billig: Ein Motorrad ist .... ein Auto. Aber .... ist ein Fahrrad.

i groß: Unser Hund ist .... unsere Katze. Aber .... ist unser Pferd.

C3 **23** Drei Angebotsprospekte: Vergleichen Sie und schreiben Sie.

SHARP LC 15 L 1 E
TFT-FLACHBILDFERNSEHER

PHILIPS TV 20-7835
TFT-FLACHBILDFERNSEHER

THOMSON 27 LCDB 03 B
TFT-FLACHBILDFERNSEHER

	SHARP LC 15	PHILIPS TV 20	THOMSON 27 CD
Bildschirmgröße	38 cm	51 cm	67 cm
Tiefe	5,9 cm	8,2 cm	8,7 cm
Gewicht	3,7 kg	7,5 kg	9 kg
Preis	1699,- €	999,- €	2299,- €

a Größe: groß/klein   **a** *Der Philips ist größer als der Sharp, aber der Thomson ist ...*
b Gewicht: schwer/leicht   *Der Philips ist kleiner als der Thomson, aber ...*
c Preis: teuer/billig
d gefallen: gut/schlecht

24 Ergänzen Sie.

a ● Gefällt dir die Jacke gut? ■ Ja, aber die da drüben finde ich *besser* .

b ▼ Papa ist jünger als Mama. ▲ Nein, er ist ....

c ◆ Wird das Wetter morgen gut? ▼ Ja, es soll morgen .... als heute werden.

d ▲ Ist der Fernseher da drüben teuer? ● Nein, er ist .... als dieser hier.

e ◆ Mein Auto ist schnell. ■ Aber mein Auto ist ....

f ● Findest du die Socken bequem? ■ Nein, die Strümpfe finde ich ....

g ◆ Ist der Schal schön warm? ▼ Ja, er ist .... als das Tuch.

25 Schreiben Sie Vergleiche.

hoch ● kurz ● groß ● lang ● schön ● teuer ● billig

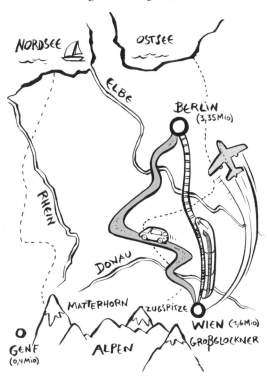

a Nordsee +, Alpen ++, zu Hause +++
Die Nordsee finde ich schön,
die Alpen sind schöner,
aber am schönsten ist es zu Hause.

b der Großglockner 3797 Meter,
das Matterhorn 4478 Meter,
die Zugspitze 2963 Meter

c Rhein 1320 Kilometer,
Elbe 1165 Kilometer,
Donau 2850 Kilometer

d Genf 0,4 Millionen Menschen,
Berlin 3,35 Millionen Menschen,
Wien 1,6 Millionen Menschen

e Wien – Berlin:
Zug: 9:33 Stunden, 90 Euro.
Flugzeug: 1:30 Stunden, 189 Euro.
Auto: 9 Stunden, 160 Euro

Preis: *Das Auto ist ...*

Dauer: *Eine Fahrt mit dem Zug dauert ...*

26 Was passt? Kreuzen Sie an

a Ein Wunderputztuch ist ☐ langweiliger ☐ höher ☒ besser für Ihre Haut.

b Mit einer Gemüsereibe reiben Sie Ihre Karotten ☐ feiner ☐ teurer ☐ heller.

c Ach, Frau Maier. Ihr neuer Rock ist aber sehr ☐ hoch ☐ hell ☐ elegant!

d Diese Reisetasche ist wirklich ☐ günstig ☐ kurz ☐ hoch.

e Mit diesem Deckelöffner öffnet sich ein Dose ☐ neuer ☐ flacher ☐ leichter.

f ● Wie findest du die Kette?

▲ Also, die Ohrringe finde ich ☐ wärmer ☐ runder ☐ schöner.

g ■ Schau mal, diese ☐ flachen ☐ bequemen ☐ warmen Teller!

▼ Die haben wir schon! Wir brauchen aber noch ☐ feine ☐ elegante ☐ tiefe Teller.

h ◆ Wie finden Sie diesen Wecker?

● Nicht schlecht, aber der Preis ist mir zu ☐ flach ☐ hoch ☐ praktisch.

D3 **27** **Ergänzen Sie.**

Auto ● Bildschirm ● Fernsehgerät ● Handy ● Kredit ● Kultur ● Versicherung ● Miete ●
Musikanlage ● Nahrungsmittel ● Urlaub ● Form ● Qualität

a Ich interessiere mich für *Kultur* . Ich gehe gern in Museen oder ins Theater.

b Wenn man ein Haus kaufen möchte, und nicht genug Geld hat, muss man bei der Bank
einen .... aufnehmen.

c Wenn man nicht in der eigenen Wohnung wohnt, muss man jeden Monat
.... bezahlen.

d Wir sind ein Fachgeschäft. Da haben alle Lampen eine gute ....

e Leider fährt bei uns kein Bus, und so muss ich mit dem .... in die Arbeit fahren.

f Ich höre gern Musik, deshalb habe ich mir eine gute .... gekauft.

g Und wohin fahren Sie in ....?

h In unserer Firma hat jeder Computer einen flachen ....

i Ich finde, diese Brille steht dir nicht. Sie hat eine komische ....

j Gestern wollte ich zu Hause das Fußballspiel sehen, aber dann ging plötzlich das
.... kaputt!

k Kartoffeln, Brot und Käse sind ....

l Kannst du mir mal dein .... leihen, ich muss dringend zu Hause anrufen.

m Wir haben eine .... gegen Feuer und Wasser.

D3 **28** **Ergänzen Sie.**

a Für mein Auto gebe ich viel Geld aus. Für Urlaubsreisen gebe ich auch viel Geld aus.

→ Für mein Auto gebe ich *so viel Geld aus wie* .... für Urlaubsreisen.

b Für die Miete müssen wir viel Geld bezahlen. Für die Versicherung müssen wir auch
viel Geld bezahlen.

→ Für die Miete müssen wir .... für die Versicherung
bezahlen.

c Ich reise gern nach Spanien. Ich reise auch gern nach Schweden.

→ Ich reise nach Spanien .... nach Schweden.

d Mein neues Handy gefällt mir gut. Mein neuer Computer gefällt mir auch gut.

→ Mein neues Handy gefällt mir .... mein neuer Computer.

D3 **29** **Was ist richtig? Kreuzen Sie an.**

a Der Kredit für ein Haus ist höher ☐ wie ☒ als für ein neues Auto.

b Der Mantel ist so praktisch ☐ wie ☐ als die Jacke.

c Wir haben so viele Kinder ☐ wie ☐ als unsere Nachbarn.

d Meine Musikanlage ist teurer ☐ wie ☐ als mein Computer.

e Für Nahrungsmittel geben wir so viel Geld aus ☐ wie ☐ als für die Miete.

30 **Mein Lieblingsgegenstand**

a **Lesen Sie und ordnen Sie die Bilder den Texten zu.**

 1

 2

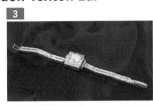 3

Bild	1	2	3
Text			

A   Sascha, 20 Jahre

Mein Lieblingsgegenstand ist dieser kleine blaue Kinderschuh hier. Ich habe diesen einen, den anderen hat meine Freundin. Meine Freundin hat ihn mir letztes Jahr geschenkt. Da bin ich nach Tübingen gezogen, weil ich dort einen Studienplatz bekommen habe. Meine Freundin lebt in Hamburg, also können wir uns nicht so oft sehen. Die Schuhe gehören zusammen und sagen uns, dass wir bald wieder zusammen sein wollen.

B   Conny, 18 Jahre

Eigentlich trage ich nicht gern Uhren, aber diese hier ist etwas ganz Besonderes. Sie hat einmal meiner Oma gehört. Meine Oma ist vor zwei Jahren gestorben und da hat mein Opa mir die Uhr geschenkt. Die Uhr ist über 60 Jahre alt. Ich finde, damals haben die Uhren alle ziemlich schön ausgesehen. Und sie ist eine Erinnerung an meine Oma. Aus diesem Grund mag ich sie so sehr. Und ich glaube auch, sie bringt Glück.

C   Pauline, 19 Jahre

Ich liebe Musik, und vor allem meine Gitarre. Sie ist ein Teil von mir. Sie begleitet mich auf allen meinen Wegen. Ich habe sie mir mit 14 selbst gekauft. Wenn ich mich mal nicht so gut fühle, nehme ich meine Gitarre und spiele einfach ein paar Stücke. Dann geht es mir gleich wieder besser. Wahrscheinlich habe ich sie mein ganzes Leben lang.

b **Ergänzen Sie die Tabelle.**

Name	Gegenstand	Aussehen	Von wem bekommen?	Wann bekommen?	Warum ist das der Lieblingsgegenstand?
Sascha	Kinderschuh				
Conny		alt, sehr schön			Erinnert sie an ihre Oma.
Pauline		–	selbst gekauft		

training

c **Was ist Ihr Lieblingsgegenstand?**

1 **Notieren Sie zuerst Stichwörter zu den folgenden Punkten:**

Was für ein Gegenstand? ....

Wie sieht er aus? ....

Von wem bekommen? ....

Wann bekommen? ....

Warum Lieblingsgegenstand? ....

2 **Schreiben Sie jetzt einen kleinen Text über Ihren Lieblingsgegenstand.**

Also, mein Lieblingsgegenstand ist ... ● Er/Sie ist ... und hat ... ● Ich habe ihn/sie von ... bekommen. / selbst gekauft. ● Ich mag ihn/sie / Er/Sie gefällt mir, weil ...

Lernwortschatz

Sachen

Gegenstand der, ¨e	Form die, -en ....
Sache die, -n	Qualität die, -en ....

Sachen im Haus

Besteck das, -e	(Musik)Anlage die, -n ....
Bildschirm der, -e	(Tisch)Platte die, -n ....
Couch die, -en/-s	Schreibtisch der, -e ....
Fernsehgerät das, -e	Sessel der, – ....
Figur die, -en	Spielzeug das, -e ....
Geschirr das	Wecker der, – ....
Kamera die, -s	

Kleidung

Socke die, -n	Strumpf der, ¨e ....
Stoff der, -e	Tuch das, ¨er ....

Wie ist ...?

fein	niedrig ....
flach	tief ....

Weitere wichtige Wörter

Eisenbahn die, -en	Glück das ....
Elektro-	Glück bringen, hat gebracht ....
Erinnerung die, -en	Grund der, ¨e ....
Garantie die, -n	Haut die, ¨e ....
Gas das, -e	Interview das, -s ....

Kredit der, -e ....

einen Kredit
  auf·nehmen,
  du nimmst auf,
  er nimmt auf,
  hat aufgenommen ....

Metall das, -e ....

Nahrungsmittel
  das, – ....

Überschrift die, -en ....

Versicherung die,
  -en ....

Verzeihung! ....

halten von,
  du hältst, er hält,
  hat gehalten ....

handeln,
  hat gehandelt ....

stimmen,
  hat gestimmt ....

elektrisch ....

manche ....

damals ....

wahrscheinlich ....

ziemlich ....

wem ....

… als ....

so … wie ....

Welche Wörter möchten Sie noch lernen?

....
....
....
....
....
....
....
....
....
....
....
....
....
....
....

A2

1 **Was passt? Ordnen Sie die Sätze den Bildern zu.**

Die Fenster werden geputzt. ● Die Briefe werden sortiert. ● Herr Maier repariert sein Auto. ●
Herr Müller sortiert die Briefe. ● Christine putzt ihre Fenster. ● Das Auto wird repariert.

a *Christine putzt ihre Fenster* .... b ....

c .... d ....

e .... f ....

A2

2 **Was wird hier gemacht?**

a **Ergänzen Sie.**

transportiert ● gewogen ● sortiert ● verpackt

1 Die Äpfel werden zuerst ....
3 Hier werden sie ....

2 Dann werden sie ....
4 Schließlich werden sie in den Supermarkt
....

Grammatik
entdecken

b **Tragen Sie die Sätze aus a in die Tabelle ein.**

1 *Die Äpfel*	*werden*	*zuerst*	*. . .*
2			
3			
4			

A2

3 **Was ist richtig? Kreuzen Sie an.**

		wird	werden	
a	Wie	☐	☐	eigentlich Kartoffelsalat gemacht?
b	Was	☐	☐	denn in der Fabrik produziert?
c	Wann	☐	☐	die Rechnungen endlich bezahlt?
d	Wann	☐	☐	denn das Auto endlich repariert?
e	Wohin	☐	☐	die Äpfel transportiert?

4   **Die Kuckucksuhr in Südamerika. Beschreiben Sie den Weg von Marias Päckchen.**

a   Kuckucksuhr verpacken   b   auf der Post das Päckchen wiegen   c   Päckchenschein ausfüllen

d   Päckchen verschicken   e   Päckchen mit dem Flugzeug transportieren   f   zu Marias Schwester bringen

a   *Die Kuckucksuhr wird verpackt.* ....

b   *Auf der Post* ....

c   ....

d   ....

e   ....

f   ....

Endlich ist die Kuckucksuhr bei Marias Schwester angekommen.

5   **Hören Sie und sprechen Sie nach.**

Phonetik 9

„b" – „p"	„g" – „k"	„d" – „t"
Bäcker – Päckchen	Glas – Kleidung	Datum – Termin
Blume – Platz	Garantie – Kasse	Dose – Tasse
backen – einpacken	gesund – krank	denken – trinken

6   **Hören Sie b oder p, d oder t, g oder k? Kreuzen Sie an.**

Phonetik 10

	b	p		d	t		g	k
Ich bleibe.	☒	☐	Sie sind sehr freundlich.	☐	☐	Es regnet.	☐	☐
Bleib doch hier!	☐	☐	Tut mir leid.	☐	☐	Sag doch etwas!	☐	☐
Schreibst du mir?	☐	☐	Leider nicht.	☐	☐	Ich sage nichts.	☐	☐
Ich schreibe bald!	☐	☐	Tschüs, bis bald!	☐	☐	Zeigen Sie es mir!	☐	☐

Lesen Sie die Sätze.

7   **Hören Sie und sprechen Sie nach. Achten Sie auf die unterstrichenen Buchstaben.**

Phonetik 11

in Griechenland – aus Griechenland ● in Dortmund – aus Dortmund ●
ein Bild – das Bild ● vor sechs – nach sechs ● von dir – mit dir ●
von Bremen – ab Bremen ● ansehen – aussehen

8   **Hören Sie und sprechen Sie nach.**

Phonetik 12

Er ist aus Bremen. ● Sind Sie aus Dortmund? ● Schreib doch mal! ●
Mein Freund bringt mir Blumen. ● Frag doch Beate! ● Glaubst du das? ●
Hilfst du mir? ● Wir fliegen ab Berlin. ● Gefällt dir die Musik? ●
Was sind denn das für Bücher? ● Was willst du denn heute Abend tun?

9   **Sprechen Sie das Sprichwort zuerst langsam, dann immer schneller.**

Phonetik

Lernst du was, dann kannst du was.
Kannst du was, dann bist du was.
Bist du was, dann hast du was.

B1   <u>10</u>   **Wie heißt das Gegenteil? Ergänzen Sie in der richtigen Form.**

faul ● neu ● teuer ● langweilig ● ~~tief~~ ● kurz ● rund

a	der flache	– *der tiefe*....................	Teller
b	der eckige	–	Tisch
c	die gebrauchte	–	Kamera
d	das billige	–	Handy

e	der interessante	–	Film
f	die fleißige	–	Angestellte
g	die lange	–	Hose

B2   <u>11</u>   **Schreiben Sie Gespräche.**

a ▲ *Schau mal, ich habe hier den aktuellen Katalog*
     von Neukauf. Wie gefällt dir denn das rote Radio?
  ● *Nicht so gut, das schwarze gefällt mir besser.*
b ▲ *Schau mal, wie ...*

a das Radio rot / besser: schwarz
b die Uhr weiß / besser: gelb
c das Handy blau / besser: schwarz

d der Computer schwarz / besser: grau
e die Handytaschen rot / besser: schwarz

B3   <u>12</u>   **Wünsche! Wünsche! Ergänzen Sie.**

a ● Schau mal, da ist ein gelbes Radio mit
    grünen Punkten.
    Das gelb*.e*........ Radio hätte ich gern!

b ▲ Und da, da ist ein kleiner Fernseher für nur 139 €.
  ● Was für einen meinst du?
  ▲ Na, den klein........... schwarz........... Fernseher dort.

c ▲ Und schau mal, die neu........... Kameras da vorne. So eine digitale Kamera hatte ich schon mal
    und war sehr zufrieden. Ich glaube, ich kaufe mir die schwarz........... da.

d ● Und da, siehst du die verrückt........... Handytaschen? Die sind ja nett! So eine lustige mit
    roten Punkten möchte ich auch haben.

B3   <u>13</u>   **Ergänzen Sie.**

▲ Meine Schwester macht doch nächste Woche
   eine große Party.
● Was soll ich denn da anziehen?
▲ Hm, wie findest du ...

a die Hose mit dem neu........... Gürtel,
b dazu die Bluse mit den weiß........... Blumen?
c die blau........... Jeans mit dem weiß........... T-Shirt,

d und dazu die weiß........... Jacke?
e den schwarz........... Rock mit der rot........... Bluse,
f und dazu die neu........... Handtasche?

14 Ergänzen Sie die Tabelle mit Beispielen aus den Übungen 11-13.

	maskulin der	neutral das	feminin die	Plural die
Mir gefällt/ gefallen ...	der *graue* Computer	das .... Handy	die .... Uhr	die .... Handytaschen
Ich will ...	den .... Fernseher	das .... Radio	die .... Kamera	die .... Handytaschen
mit ...	dem .... Gürtel	dem .... T-Shirt	der .... Bluse	den .... Blumen

15 Ergänzen Sie.

a ▲ Papa, mit dem neu.*en*...... Fahrrad kann ich viel schneller fahren als mit dem alt............. !

● Das ist ja wirklich super.

b ■ Was, du willst wirklich den teur............ Computer hier kaufen? Es gibt doch auch billigere!

◆ Ja, aber ich brauche unbedingt einen gut............ Computer für meinen neu............ Job.

c ▼ Das Sofa in dem ander............ Geschäft finde ich viel schöner. Du weißt schon, das weiß............ Sofa mit den hell............, dünn............ Streifen für 990 €.

● Das hat mir aber nicht so gut gefallen.

d ■ Was könnte ich denn der klein............ Tochter von meiner Freundin zum Geburtstag schenken? Hast du eine gut............ Idee?

▲ Wie alt ist sie denn?

■ Ich glaube, sie wird 13 Jahre.

▲ Schenk ihr doch die aktuell............ CD von Nena. Die gefällt ihr sicher.

16 Was ist richtig? Kreuzen Sie an.

a Ich nehme — ☒ den blauen Rock. ☐ der blaue Rock.
b Mir gefällt das Kleid mit — ☐ der gelben Jacke. ☐ die gelbe Jacke.
c Schau mal, die Hose mit — ☐ die weißen Streifen! ☐ den weißen Streifen!
d Wie findest du das Hemd mit — ☐ den roten Punkten? ☐ die roten Punkte?
e Gefällt dir — ☐ den blauen Anzug? ☐ der blaue Anzug?

17 Machen Sie Vorschläge. Schreiben Sie und sprechen Sie.

Bringen Sie Kataloge in den Unterricht mit. Schneiden Sie ein paar Beispiele aus dem Katalog aus und schreiben Sie Sätze dazu. Sprechen Sie dann mit Ihrer Partnerin / Ihrem Partner: Was würden Sie gerne kaufen?

Sie suchen:
a Möbel für ein Wohnzimmer
b ein Geschenk für eine 30-jährige Freundin
c neue Kleidung für ein Hochzeitsfest
d ein Geburtstagsgeschenk für ein 6-jähriges Mädchen

a *Ich möchte für das Wohnzimmer den runden Tisch aus dem dunklen Holz.*

C1

18   **Was ist richtig? Kreuzen Sie an.**

		einen	ein	eine	–	
a	▼ Was für	☒	☐	☐	☐	Bildschirm sollen wir denn nehmen?
						■ Einen Flachbildschirm. Ist doch klar!
b	● Was für	☐	☐	☐	☐	Kamera möchtest du dir kaufen?
						▲ Eine Digitalkamera natürlich.
c	◆ Was für	☐	☐	☐	☐	Pläne habt ihr denn für die Sommerferien?
						■ Keine Ahnung, wir haben noch nichts entschieden.
d	▲ Was für	☐	☐	☐	☐	Handy willst du denn?
						● Eins mit Kamera.
e	● Was für	☐	☐	☐	☐	Fernseher hast du dir gekauft?
						▼ Einen ganz kleinen für mein Schlafzimmer.

C2

19   **Ergänzen Sie:** *Was für ...*

a   ● Wo ist denn die Notiz von Frau Meinert?

    ■ *Was für eine* .... Notiz meinst du?

    ● Na, die mit der Telefonnummer von Frau Hu vom chinesischen Konsulat.

b   ▲ Wohin hast du denn das T-Shirt gelegt?

    ■ .... T-Shirt?

    ▲ Na, das neue.

c   ▼ Ich brauche Schuhe für meinen Sohn.

    ● .... Schuhe wollen Sie denn genau?

    ▼ Fußballschuhe.

    ● Die gibt es im ersten Stock.

d   ◆ Ich brauche einen Reiseführer über Rom. Können Sie mir einen empfehlen?

    ● Ach, da gibt es so viele. .... suchen Sie denn? Einen Kunstreiseführer oder lieber einen mit Tipps für Hotels, Restaurants und Ausflüge?

e   ■ Ich bestelle jetzt Pizza. .... möchtest du?

    ▼ Für mich mit Schinken und Tomaten bitte.

C2

20   **Was passt? Ordnen Sie zu.**

a	eine Notiz	beantragen
b	auf einen Anrufbeantworter	schicken
c	ein Visum	sprechen
d	einen Termin	verschieben
e	den Ausweis	verlängern
f	eine SMS	schreiben

21 Warum sind Sie nicht oder zu spät in den Deutschkurs gekommen? Schreiben Sie.

Treffen mit meinen Kollegen haben ● bei der Reinigung etwas abholen ● im Konsulat meinen Ausweis verlängern ● zu einer Untersuchung gehen müssen

a Es tut mir schrecklich leid, dass ich heute so spät komme. Aber ich musste …

c Ich wollte pünktlich kommen, aber …

b Ich konnte gestern leider nicht kommen, weil …

d Entschuldigen Sie, dass ich zu spät komme, aber … Es kommt ganz bestimmt nicht wieder vor.

22 Und warum sind Sie schon einmal zu spät gekommen? Wer hat die beste Entschuldigung? Schreiben Sie und sprechen Sie im Kurs.

Entschuldigen Sie bitte, dass ich zu spät gekommen bin. Aber ich habe meine Hausaufgabe nicht gefunden. Leider hat sie mein Hund gefressen.

23 Eine Entschuldigung schreiben

training

a Warum können Sie heute Abend nicht kommen? Schreiben Sie Ihrer Freundin / Ihrem Freund eine E-Mail.

Anruf von Vater: Mutter im Krankenhaus ● heute Abend Mutter besuchen ● Treffen verschieben? ● nicht kommen können

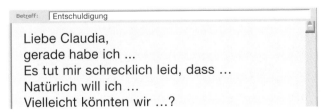

Betreff: Entschuldigung

Liebe Claudia,
gerade habe ich …
Es tut mir schrecklich leid, dass …
Natürlich will ich …
Vielleicht könnten wir …?

b Schreiben Sie Ihrer Freundin eine E-Mail, warum Sie morgen nicht zu einer Verabredung kommen können.

D4
CD3 13-16

24 Ein Interview

Die Zeitschrift *Leute Heute* hat einige Personen auf der Straße gefragt: „Heute hat fast jeder Jugendliche ein Handy! Wie finden Sie das?".

a Was antworten die Personen? Finden sie es positiv oder negativ?
Hören Sie und kreuzen Sie an:

	positiv	negativ		positiv	negativ
Person 1	☐	☐	Person 3	☐	☐
Person 2	☐	☐	Person 4	☐	☐

CD3 13-16

b Hören Sie noch einmal. Kreuzen Sie an: richtig oder falsch?

		richtig	falsch
1	Wenn junge Leute überall telefonieren, stört mich das nicht.	☐	☐
2	Mit einem Handy kann man seine Kinder immer erreichen.	☐	☐
3	SMS schreiben ist praktisch.	☐	☐
4	Jugendliche denken, dass sie ohne Handy nicht leben können.	☐	☐

D4

25 Ergänzen Sie die Nomen.

Adjektiv	Nomen	Adjektiv	Nomen	Adjektiv	Nomen
problemlos	*Problem*	fehlerlos		phantasielos	
ruhelos ohne		arbeitslos ohne		fleischlos ohne	
planlos		kinderlos		pausenlos	

D4

26 Ergänzen Sie.

unwichtig ● unmöglich ● unangenehm ● unmodern ● unfreundlich ● arbeitslos ● problemlos

a Immer dieser Regen! Ich finde dieses kalte Wetter hier sehr *unangenehm* .

b Mein Mann ist nun seit fast einem Jahr .... Den ganzen Tag sitzt er nur zu Hause und tut nichts. Es ist wirklich furchtbar!

c Wir haben nur noch fünf Minuten! Den Zug um 14.35 Uhr erreichen wir nicht mehr.
Das ist .... Nehmen wir doch den um 15.12 Uhr.

d In dieses Restaurant gehe ich nie mehr! Der Kellner war so .... zu uns.

e Wir müssen zuerst zum Konsulat und das Visum verlängern. Alles andere ist im Moment
....

f Ich finde, das Kleid kannst du nicht zu der Hochzeit anziehen. Das ist doch mindestens fünf Jahre alt und total .... ! Kauf dir lieber ein neues!

g ● Mein Handy ist schon wieder kaputt. Ich habe es erst vor zwei Monaten gekauft.
▲ Dann hast du ja noch Garantie. Du bekommst sicher .... ein neues.

D4

27 Notieren Sie im Lerntagebuch: Wortfamilien.

LERNTAGEBUCH

28　Ergänzen Sie.

befrag ~~en~~
↓
die　Befrag　ung

a	befragen	_die Befragung_	**h**	....	die Besorgung
b	....	die Aufforderung	**i**	meinen	....
c	....	die Erwartung	**j**	....	die Wohnung
d	üben	....	**k**	untersuchen	....
e	....	die Entscheidung	**l**	(sich)	die Unterhaltung
f	reinigen	....	**m**	....	die Beratung
g	(sich)	die Entschuldigung	**n**	empfehlen	....

29　Ergänzen Sie Wörter aus Übung 28 in der richtigen Form.

a ■ Du kannst aber toll Klavier spielen!

● Vielen Dank. Aber ich muss auch jeden Tag eine Stunde _üben_.................................... .

b ▲ Ich habe mir gestern eine neue .... angesehen. Die war super!

● Warum willst du denn umziehen?

c ■ Soll ich das schwarze oder das blaue T-Shirt kaufen? Was .... du?

◆ Ich finde das schwarze schöner.

d ▲ In letzter Zeit habe ich häufig Bauchschmerzen.

● Dann geh doch mal zum Arzt.

▲ Dr. Merkel hat mich schon .... , aber er hat nichts gefunden.

e ■ Du könntest dich wenigstens .... , wenn du über eine Stunde zu spät kommst!

● Tut mir leid, Liebling! Das kommt nicht wieder vor.

f ▲ Kann ich die Jacke in der Waschmaschine waschen?

● Ich glaube nicht. Bring sie lieber in die ....

g ▲ Welches Handy soll ich denn nehmen? Ich kann mich einfach nicht ....

● Nimm das von Mobil Express. Es ist sehr gut. Ich kann es dir wirklich .... !

30　Ergänzen Sie.

a Telefon, E-Mail, Fax, SMS benutzt man für die .... m .... k ....

b Zwei Personen verstehen sich falsch, z.B. wenn sie sich verabreden. Das ist ein

...... i .... ä .... n ....

c Asien, Afrika, Australien, Amerika sind ...... o .... n ....

d Wenn sich die Lehrer und der Direktor einer Schule treffen und über ein bestimmtes Thema

sprechen, nennt man das eine ...... o .... r ....

e Wenn sich z.B. Geschwister oder Nachbarn gut verstehen, haben sie eine gute

.... z .... u ....

f Wenn man jemand eine Nachricht auf einen Zettel schreibt, dann ist das eine .... t ....

g Eine Minute hat sechzig .... u ....

Post/Telekommunikation

Absender der, –	....	SMS die, –	....
Empfänger der, –	....	Päckchen das, –	....
Kommunikation die	....		

Konsulat

Konsulat das, -e	....	verlängern,	
Visum das, Visa	....	hat verlängert	....

Weitere wichtige Wörter

Beziehung die, -en	....	Vertrag der, ¨e	....
DVD-Player der, –	....	Vorurteil das, -e	....
Grippe die	....	an·klicken,	
Handtasche die, -n	....	hat angeklickt	....
Katalog der, -e	....	auf·fordern,	
Konferenz die, -en	....	hat aufgefordert	....
Kontinent der, -e	....	(sich) entschuldigen,	
Notiz die, -en	....	hat (sich) entschuldigt	....
Liebling der, -e	....	(sich) besorgen,	
Missverständnis das, -se	....	hat (sich) besorgt	....
Portemonnaie das, -s	....	gebrauchen, hat gebraucht	....
Punkt der, -e	....	klingeln, hat geklingelt	....
Reinigung die, -en	....	kriegen, hat gekriegt	....
Schnupfen der	....	liefern, hat geliefert	....
Sekunde die, -n	....	nützen, hat genützt	....
Thema das, Themen	....	testen, hat getestet	....
Unterschied der, -e	....	transportieren, hat transportiert	....
Untersuchung die, -en	....		

versprechen,
du versprichst,
er verspricht,
hat versprochen ....

wiegen,
hat gewogen ....

aktuell ....

angenehm ....

deutlich ....

direkt ....

egal ....

furchtbar ....

positiv ....

schrecklich ....

tolerant ....

verrückt ....

häufig ....

nebenan ....

plötzlich ....

ziemlich ....

Welche Wörter möchten Sie noch lernen?

....
....
....
....
....
....
....
....
....
....
....
....
....
....
....
....
....
....

Wiederholung
Schritte int. 2
Lektion 11

1 **Wo und wohin?**

a **Ergänzen Sie:** *bei – in*

● Wo bist du gerade?

1	Bäcker:	*beim Bäcker*	Bäckerei Schulze:	*in der Bäckerei Schulze*
2	Metzger:	....	Metzgerei:	....
3	meine Oma:	....	Parkstraße 18:	....
4	Freunden:	....	Hainweg 2:	....

b **Ergänzen Sie:** *zu – in*

● Wohin gehst du jetzt?

1	Bäcker:	*zum Bäcker*	Bäckerei Schulze:	*in die / zur Bäckerei Schulze*
2	Metzger:	....	Metzgerei:	....
3	meine Oma:	....	Parkstraße 18:	....
4	Freunden:	....	Hainweg 2:	....

A2

2 **Woher kommst du? Ergänzen Sie:** *von – aus*

● Woher kommst du gerade?

a	Bäcker:	*vom Bäcker*	Bäckerei Schulze:	*aus der / von der Bäckerei Schulze*
b	Metzger:	....	Metzgerei:	....
c	meine Oma:	....	Parkstraße 18:	....
d	Freunden:	....	Hainweg 2:	....

A3

3 **Ergänzen Sie.**

  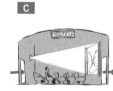  

a Die Katze von Herrn Lehmann springt *auf den* Tisch. Sie sitzt .... Tisch.
Sie springt .... Tisch.

b Herr Lehmann geht .... Arzt. Er ist .... Arzt. Er kommt
.... Arzt.

c Herr Lehmann geht .... Kino. Er ist .... Kino. Er kommt
.... Kino.

d Herr Lehmann geht .... Marktplatz. Er steht .... Marktplatz.
Er kommt .... Marktplatz.

e Herr Lehmann steigt .... Bus. Er sitzt .... Bus.
Er steigt .... Bus.

4 Was ist richtig? Ordnen Sie zu.

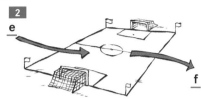

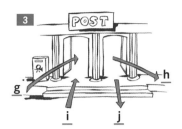

☐ aus dem Reisebüro
☐ auf den Fußballplatz
☑ zum Reisebüro
☐ in die Post
☐ vom Fußballplatz

☐ ins Reisebüro
☑ zur Post
☐ von der Post
☐ vom Reisebüro
☐ aus der Post

5 Schreiben Sie.

Tankstelle ● Bank ● Frisör ● Bäcker ● Supermarkt

a ● Woher hast du denn das ganze Geld!   ■ *Ich komme gerade von der Bank.*

b ● Hast du Brötchen geholt?   ■ *Ja, ich komme gerade*

c ● Und hast du auch schon getankt?   ■ *Ja, ich*

d ● Der Kühlschrank ist ja voll!   ■

e ● Deine Haare sind ja so kurz!   ■

6 Was muss Werner tun? Schreiben Sie.

Schatz, bin heute nicht da!
Kümmerst du dich bitte um die Kinder?

Jana:
7:45 Uhr Schule
13 Uhr Schule aus
15 Uhr Geburtstagsfeier
Claudia
Ca. 18 Uhr Geburtstagsfeier Ende
vorher Pauli von Daniel abholden
Bussi! Martha

Pauli:
9 Uhr Kindergarten
14 Uhr Kindergarten aus
16 Uhr Daniel

Um 7:45 Uhr muss er Jana in die Schule schicken. Um 9 Uhr muss er Pauli in den Kindergarten bringen. ...

7 Notieren Sie im Lerntagebuch.
Schreiben Sie und zeichnen Sie.

LERNTAGEBUCH

  Wo? Wohin? Woher?

meine Oma

bei meiner Oma

Haus   *im Haus / zu Hause*
schule

B1 **8** **Wie sind die Kinder gelaufen? Bringen Sie die Sätze in die richtige Reihenfolge.**

☐ Dann sind sie um den Spielplatz herum gelaufen.
☐ Dann sind sie durch den Wald gelaufen.
☐ Jetzt sind sie gegenüber der Kirche.
☑ Erst sind sie am Fluss entlang bis zur Brücke gelaufen.
☐ Hinter dem Wald sind sie nach links gelaufen.
☐ Sie sind bis zum Spielplatz gelaufen.
☐ Dann sind sie über die Brücke gelaufen.
☐ Sie sind die Kirchstraße entlang gelaufen,
am Bahnhof vorbei.

B2 **9** **Was ist richtig? Markieren Sie.**

a ● Wohin fährst du denn? Du musst doch durch die / über die / unter die Brücke fahren.

b ■ Meinst du, man darf auf dem / über dem / gegenüber dem Supermarkt parken?

c ● Wo geht es denn hier zur Post?
■ Ganz einfach, Sie müssen nur unter die Poststraße / die Poststraße entlang / über
der Poststraße gehen.

d ● Darf man durch die / in der / über die Altstadt fahren, wenn man ins Zentrum möchte?
■ Nein, Sie können nur über die / auf die / bis zur nächsten Ampel fahren.
Biegen Sie dort hoch / zurück / rechts ab. Dort ist das Altstadtparkhaus.

e ● Ich glaube, wir sind schon durch den / unter den / am Schillerplatz vorbeigefahren.
■ Dann musst du jetzt im Kreis um das / auf das / an das Zentrum herum fahren,
dann kommen wir wieder zurück.

B3 **10** **Der Weg ist falsch!**

a Sein Freund hat Franz den Weg aufgeschrieben. Wie muss Franz gehen?
Zeichnen Sie den Weg in die Karte.

> vor dem Bahnhof links
> an der Kreuzung am Supermarkt rechts
> nach der Ampel rechts
> durch den Stadtpark am Lambach-Ufer entlang
> bis zur Parkstraße, dort
> über die Brücke bis zur Kirche
> links um die Kirche herum
> hinter der Kirche links in den Kirchweg
> zweites Haus auf der linken Seite

b Wie ist Franz gegangen?
Schreiben Sie.

Vor dem Bahnhof ist er rechts gegangen. ...

c Wie kommt er jetzt zu seinem Freund? Schreiben Sie.
Franz muss wieder zurück bis zur Ampel gehen. Dann ...

11 Was darf man hier nicht machen? Schreiben Sie.

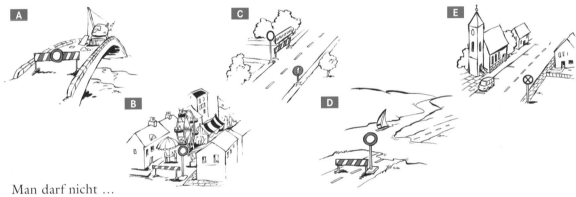

Man darf nicht ...

a *über die Brücke fahren* ....

b ....

c ....

d ....

e ....

12 Wege in Ihrer Sprachschule

a Wo ist/sind in Ihrer Sprachschule: die Cafeteria, die Toiletten, das Sekretariat,
die Anmeldung, ...? Machen Sie Notizen und raten Sie im Kurs.

> aus dem Klassenzimmer
> nach rechts, den Flur entlang,
> zweite Tür links ...

● Du gehst aus dem Klassenzimmer, dann nach rechts, den Flur entlang bis zur zweiten Tür.
Hier links und die Treppe hoch ... Was ist da?
■ Das Sekretariat!

b Wie kommt man von Ihrer Sprachschule: zum Bäcker, zum nächsten Kino,
zur Bushaltestelle, ...? Schreiben Sie.

11 C Deshalb müssen wir ihn ja dauernd in die Werkstatt bringen.

C1 13 Was passt? Ordnen Sie zu.

a Der Weg zu dir ist sehr weit.　　　　Ich gehe zur Bank.
b Mein Fahrrad ist kaputt.　　　　　　Ich lege mich ins Bett.
c Ich brauche noch Geld.　　　　　　　Ich mache eine Pause.
d Ich möchte keine Übung mehr machen.　Ich bringe es in die Werkstatt.
e Ich möchte ein wenig schlafen.　　　　Ich fahre mit der U-Bahn.

C1 14 Schreiben Sie die Sätze aus Übung 13 mit *deshalb*.

a Der Weg zu dir ist sehr weit. *Deshalb fahre ich mit der U-Bahn.*
b Mein Fahrrad ist kaputt. ....
c Ich brauche noch Geld. ....
d Ich möchte keine Übung mehr machen. ....
e Ich möchte ein wenig schlafen. ....

C2 15 Wie heißen die Dinge? Ordnen Sie zu.

☐ Reifen　　☐ Rücklicht
☐ Vorderlicht　☑ Bremse
☐ Werkzeug　☐ Klingel

C3 16 Warum braucht man das? Schreiben Sie.

a Wie ist der Satz richtig? Ordnen Sie die Satzteile.

1 Man braucht gute Bremsen, ☒2 man ☒1 weil ☒4 bremsen muss ☒3 oft
2 Man braucht ein helles Vorderlicht, ☐ bei Nacht ☐ sehen muss ☐ gut ☐ man ☐ weil.
3 Man braucht Werkzeug, ☐ weil ☐ manchmal ☐ hat ☐ man ☐ eine Panne.
4 Man braucht eine gute Klingel, ☐ überholen möchte ☐ weil ☐ andere Radfahrer ☐ man ☐ manchmal.

Grammatik entdecken

b Schreiben Sie die Sätze neu mit *deshalb*, und machen Sie eine Tabelle.

1 *Man muss oft bremsen.*	Deshalb Man	braucht braucht	man deshalb	gute Bremsen. ...
2 *Man muss bei Nacht gut sehen.*	Deshalb	...	...	
...		...		

C3 17 Was ist richtig? Kreuzen Sie an.

	deshalb	weil	denn	
a Der Bremsweg ist lang,			x	die Straße ist heute nass und glatt.
b Die Reifen sind alt,				muss man sie wechseln.
c Ich bin so viel Fahrrad gefahren,				bin ich jetzt ganz müde.
d Mein Reifen hat keine Luft mehr,				ich gestern über Glas gefahren bin.
e Das Rücklicht ist kaputt,				muss ich mir ein neues kaufen.
f Man muss im Dunkeln mit Licht fahren,				nur so ist man für die Autofahrer erkennbar.

einhundertsechzehn **116** LEKTION 11

18 Schreiben Sie.

a Man kann die Klingel gut erreichen. Sie ist gut *erreichbar* _____ .

b Man kann sie auch gut hören. Sie ist gut _____ .

c In dieser Fahrradkleidung kann man Sie gut erkennen. Sie sind gut _____ .

d Dieses Fahrrad ist nicht teuer. Ich kann es bezahlen. Es ist _____ .

e Kann man dieses Fahrrad abschließen? Ist es _____ .

19 Was passt zu „Auto" (A), was passt zu „Fahrrad" (F), was passt zu beiden? Markieren Sie.

Motor	Rücklicht	Werkstatt	Vorderlicht ....
Bremse	Garage	Klingel	Reifen *A, F* .....
Benzin	Tankstelle	Panne	Werkzeug ....

honetik 7|⊡

20 Hören Sie und sprechen Sie nach.

„pf" Pflanze ● Pfanne ● Pfund ● Apfel ● Kopf ● Topf

„kw" bequem ● Qualität ● Quartett ● Quadrat ● Quiz

„ts" Zentrum ● Kreuzung ● Benzin ● Satz ● Platz ● Rätsel ● Station ● Lektion ●
international ● Nationalität

„ks" links ● Kuckucksuhr ● Taxi ● Praxis ● Text ● wechseln ● du fragst ● du sagst ●
unterwegs ● sonntags

honetik

21 *Pfund* und *Kilo*. Was passt zusammen? Sprechen Sie.

Apfel ● Pfanne ● Topf ● Pfund ● Pfeffer ● Empfänger ● Impfung ● Kopf

Deckel ● Saft ● Absender ● Salz ● Grippe ● Gesicht ● Kilo

honetik

22 Man spricht „ts". Wie schreibt man?

Man spricht „ts" und schreibt *t (vor -ion)* _____, _____ oder _____ .

honetik 8|⊡

23 Wo hören Sie „ks"? Kreuzen Sie an.

1. ☐   2. ☐   3. ☐   4. ☐   5. ☐   6. ☐

7. ☐   8. ☐   9. ☐   10. ☐   11. ☐   12. ☐

D2 **24** **Ergänzen Sie die Wetterwörter.**

a *der Sturm* .... stürmisch   e *die Wolke* .... wolkig
b .... regnerisch   f .... neblig
c .... eisig   g .... sonnig
d .... gewittrig   h .... windig

D2 **25** **Das Wetter**

a **Wie ist das Wetter heute? Ergänzen Sie.**

Sommerlich ist's in der Mitte Deutschlands

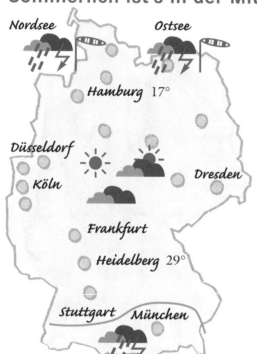

Nordsee   Ostsee
Hamburg 17°
Düsseldorf
Köln   Dresden
Frankfurt
Heidelberg 29°
Stuttgart München

starker Westwind ● Sonne und Wolken ●
17 Grad im Norden ● Regenschauer mit Gewitter ●
gewittrige ● 29 Grad im Süden

Heute gibt es an der Nordsee und an der
Ostsee *Regenschauer mit Gewitter* ....
Auch südlich der Donau sind noch einige
.... Regenschauer
dabei. In der Mitte wechseln sich ....
.... ab. Die
Temperaturen: zwischen ....
.... und ....
....
An Nord- und Ostsee ....
....

b **Lesen Sie den Text und ergänzen Sie die Tabelle.**

| Home | **Vorhersage** | Kontakt | Information |

Vorhersage:
In der Nacht hört der Regen in Norddeutschland langsam auf. Die Temperaturen sinken in
ganz Deutschland auf zehn bis 15 Grad.
Am Dienstag gibt es vor allem in der Mitte und im Süden zunächst viel Sonnenschein, im
Norddeutschen Tiefland jedoch mehr Wolken und einzelne Schauer oder Gewitter.
Weiter südlich gibt es auch nachmittags einige dicke Wolken, aber es bleibt meist freundlich.
Die Temperaturen liegen bei 17 Grad im Norden und bei bis zu 29 Grad im Süden.

weiter ▶

Wie wird das Wetter?	im Norden	in der Mitte	im Süden
heute Nacht	*weniger Regen 10-15 Grad*		
am Dienstag			

26 Was soll in den Koffer?

a Lesen Sie die E-Mail.

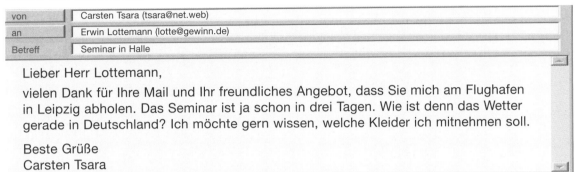

von	Carsten Tsara (tsara@net.web)
an	Erwin Lottemann (lotte@gewinn.de)
Betreff	Seminar in Halle

Lieber Herr Lottemann,

vielen Dank für Ihre Mail und Ihr freundliches Angebot, dass Sie mich am Flughafen in Leipzig abholen. Das Seminar ist ja schon in drei Tagen. Wie ist denn das Wetter gerade in Deutschland? Ich möchte gern wissen, welche Kleider ich mitnehmen soll.

Beste Grüße
Carsten Tsara

b Welche Antwort passt auf die E-Mail in **a**? Kreuzen Sie an.

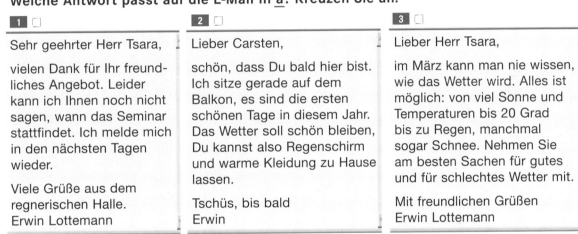

1 ☐

Sehr geehrter Herr Tsara,

vielen Dank für Ihr freundliches Angebot. Leider kann ich Ihnen noch nicht sagen, wann das Seminar stattfindet. Ich melde mich in den nächsten Tagen wieder.

Viele Grüße aus dem regnerischen Halle.
Erwin Lottemann

2 ☐

Lieber Carsten,

schön, dass Du bald hier bist. Ich sitze gerade auf dem Balkon, es sind die ersten schönen Tage in diesem Jahr. Das Wetter soll schön bleiben, Du kannst also Regenschirm und warme Kleidung zu Hause lassen.

Tschüs, bis bald
Erwin

3 ☐

Lieber Herr Tsara,

im März kann man nie wissen, wie das Wetter wird. Alles ist möglich: von viel Sonne und Temperaturen bis 20 Grad bis zu Regen, manchmal sogar Schnee. Nehmen Sie am besten Sachen für gutes und für schlechtes Wetter mit.

Mit freundlichen Grüßen
Erwin Lottemann

c Ergänzen Sie die Tabelle.

	Wie ist/wird das Wetter?	Welche Kleidung soll Carsten Tsara mitnehmen?
Mail 1	*Es regnet.*	/
Mail 2		
Mail 3		

d Schreiben Sie eine kurze Antwort auf die Mail von Carsten Tsara in **a**.

Wetter: Schnee, minus 5 Grad ● Kleidung: warme Kleidung, Wintermantel

Lieber Herr Tsara,

im Moment ist es bei uns ...
Nehmen Sie deshalb am besten ...

e Eine Freundin / ein Freund aus Deutschland / aus Österreich / aus der Schweiz besucht Sie in zwei Tagen in Ihrem Heimatland. Schreiben Sie ihr/ihm kurz, wie das Wetter im Moment ist und was sie/er in den Koffer packen soll.

E3   **27**   **Ergänzen Sie das Kreuzworträtsel.**

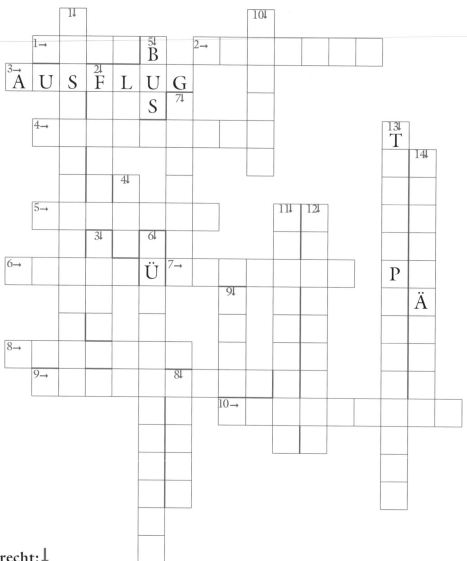

Senkrecht: ↓

1   Hier hält 5 Senkrecht.
2   Gräfin von Kerner fährt nicht selbst Auto. Sie hat einen … .
3   Ein … ist ein kleines Schiff.
4   Lastwagen: LKW = Auto: …
5   Mit dem …, mit dem …, geht es leichter als zu Fuß. (Kinderlied)
6   Wenn man Auto fahren will, muss man zuerst den … machen.
7   Bei uns gibt es noch einen …, aber es halten keine Züge mehr.
8   Rot, gelb und grün – das sind die Farben bei einer … .
9   „Achtung Autofahrer: Auf der A9 Richtung Berlin vor dem Schkeuditzer Kreuz
     zehn Kilometer … nach einem Unfall.“
10   Bus: halten = Flugzeug: …
11   „Ich komme mit dem Auto. Gibt es vor Ihrem Hotel einen … ?“
12   „Das Wetter ist so schön. Komm, lass uns ein bisschen im Park … gehen.“
13   Mit 4 Senkrecht kann man keine großen Möbel …
14   „Liebe Fahrgäste, unser ICE hat im Moment 13 Minuten … .“

Waagerecht: →

1 Wenn man ... fahren will, braucht man einen 6 Senkrecht.
2 Gegenteil von 10 Senkrecht
3 Ich möchte mal wieder einen ... an die Ostsee machen.
4 Wenn man mit dem Zug fahren möchte, muss man zuerst eine ... kaufen.
5 Zwischen 8 und 9 Uhr ist der Berufs... am stärksten. Da fahren die meisten Leute
   mit dem Auto zur Arbeit.
6 Das Auto hat einen ..., das Fahrrad nicht.
7 Ein ... hat keinen 6 Waagerecht und braucht kein Benzin.
8 Wenn ein schwerer Unfall passiert, kommt der Krankenwagen und die ... .
9 Mein Auto ist schon wieder kaputt! Ich glaube, die ... wird ziemlich teuer.
10 Ich bin selten zu Hause und viel ... .

28 Was passt? Kreuzen Sie an.

	nehmen	fliegen	umsteigen	fahren	einsteigen	gehen	aussteigen
a mit dem Flugzeug		x					
b in den Zug							
c am Goetheplatz							
d aus dem Bus							
e das Fahrrad							
f zu Fuß							
g mit dem Schiff							
h spazieren							
i über die Brücke							
j über Traunstadt							

29 Besuch in Traunstadt: Hören Sie das Gespräch.

Falko ist zwei Tage zu Besuch bei seinem Freund Michael in Traunstadt und möchte sich
die Stadt ansehen. Leider muss Michael arbeiten und kann nicht mitgehen. Er sagt ihm,
was er in Traunstadt sehen kann und erklärt ihm den Weg.
Zu diesem Gespräch gibt es sechs Aufgaben. Was sagt Michael seinem Freund? Wo sind die
Gebäude und Plätze? Ordnen Sie zu und notieren Sie den Buchstaben. Hören Sie das Gespräch
zweimal.

	0	1	2	3	4	5
Gebäude/Ort	Stadttheater	Michaelikirche	Rathaus	Stadtmuseum	Stadtpark	Stadtcafé
Lösung	a					

a in der Fußgängerzone links   **f** in der Rathausgasse
b vor dem Marktplatz   **g** am Anfang der Rathausgasse
c in der Mitte vom Marktplatz   **h** am Ende der Rathausgasse
d links von der Kirche   **i** rechts vom Stadtmuseum
e hinter der Kirche   **j** in der Mitte vom Stadtpark

Auto und Verkehr

Batterie die, -n	....	Tankstelle die, -n	....
Benzin das	....	(Verkehrs)Teilnehmer der, –	....
Diesel der	....	Verkehr der	....
Einbahnstraße die, -n	....	Wagen der, –	....
(End)Station die, -en	....	Werkstatt die, ¨en	....
Fußgänger der, –	....	Werkzeug das, -e	....
Fußgängerzone die, -n	....	ab·biegen, ist abgebogen	
Garage die, -n	....	bremsen, hat gebremst	....
Kennzeichen das, –	....	landen, ist gelandet	....
KFZ das, –	....	starten, ist gestartet	....
Klingel die, -n	....	tanken, hat getankt	....
Motor der, -en	....	überholen, hat überholt	....
Panne die, -n	....		
PKW der, -s	....		
Reifen der, –	....		
Start der, -s	....		
Stau der, -s	....		

Wetter

Eis das	....	regnerisch	....
Gewitter das, –	....	sonnig	....
Nebel der	....	stürmisch	....
Schnee der	....	windig	....
Sturm der, ¨e	....	wolkig	....
Wolke die, -n	....	glatt	....
eisig	....	kühl	....
gewittrig	....	nass	....
neblig	....		

Weitere wichtige Wörter

Brücke die, -n ....

Bürgermeister
 der, – ....

Einwohner der, – ....

Fluss der, ¨e ....

Kreis der, -e ....

Sicherheit die ....

Situation die, -en ....

Sprachenschule die,
 -n ....

Ufer das, – ....

beschreiben,
 hat beschrieben ....

fest·stellen,
 hat festgestellt ....

prüfen,
 hat geprüft ....

verhindern,
 hat verhindert ....

wechseln,
 hat gewechselt ....

zurecht·kommen,
 ist zurecht-
 gekommen ....

kräftig ....

rücksichtslos ....

durch ....

entlang ....

deshalb ....

wegen ....

dagegen / dafür sein ....

woher ....

auf jeden Fall ....

Welche Wörter möchten Sie noch lernen?

....

....

....

....

....

....

....

....

....

....

....

Wiederholung
Schritte int. 4
Lektion 11

1 **Ergänzen Sie.**

bei ● von ● aus ● vom ● aus der ● in ● zu ● aus dem ● nach ● zum ● ins ● beim ● in der ● im ● in die

Wo?	**Wohin?**	**Woher?**
Sie ist …	Sie fährt …	Sie kommt …
a …*in*… Italien.	…………… Italien.	…………… Italien.
b …………… Schweiz.	…………… Schweiz.	…………… Schweiz.
c …………… Kino.	…………… Kino.	…………… Kino.
d …………… Claudia.	…………… Claudia.	…………… Claudia.
e …………… Arzt.	…………… Arzt.	…………… Arzt.

Wiederholung
Schritte int. 4
Lektion 11

2 **Was ist richtig? Markieren Sie.**

a ▲ Ich fahre jetzt mit dem Auto nach dem/zum Bahnhof. Soll ich dich mitnehmen?
  ▼ Vielen Dank, aber ich muss zuerst noch zu/bei meiner Mutter. Sie wohnt auf/in der Maistraße. Da kann ich den Bus nehmen.

b ■ Ich muss heute Nachmittag nach dem/zum Arzt.
  ● Ach, ich habe gedacht, dass du gestern schon beim/im Arzt warst.
  ■ Nein, er hatte gestern keinen Termin mehr frei.

c ■ Fahrt ihr dieses Jahr im Urlaub wieder nach/in Italien?
  ▼ Nein, wir waren doch letztes Jahr in/nach Rom. In diesem Sommer wollen wir nach/in die Türkei.

d ■ Wir gehen heute Abend zum/ins Kino. Kommst du mit?
  ▼ Ich kann leider nicht. Ich fahre zu/bei meiner Freundin. Sie ist krank.

A1

3 **Ergänzen Sie.**

die Wüste ● der Berg ● der See ● die Insel ● der Osten ● der Strand ● die Küste ● das Meer ● das Gebirge ● der Norden ● der Wald

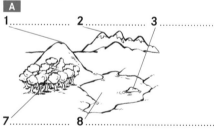

A 1…………… 2…………… 3……………
7…………… 8……………

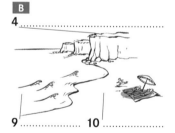

B 4…………… 3……………
9…………… 10……………

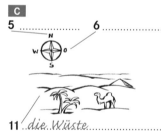

C 5…………… 6……………
11 *die Wüste*

A2

4 **Urlaubsziele**

a **Wann sagt man *auf – an – in*? Ergänzen Sie und ordnen Sie zu.**
  der Rhein ● der Titisee ● die Insel ● der Strand ● das Meer ● das Gebirge ● die Berge ● die Wüste ● das Land ● der Schwarzwald ● der Süden

1 *der Rhein, …*

2 …

3 ……………
   …

b Was ist richtig? Kreuzen Sie an.

		Wo?	Wohin?
1	Im Urlaub fahren wir	☐ am Titisee.	☐ an den Titisee.
2	Am Samstag waren wir	☐ im Gebirge.	☐ ins Gebirge.
3	Ich war noch nie	☐ in der Wüste.	☐ in die Wüste.
4	Am liebsten fliegen wir	☐ im Süden.	☐ in den Süden.
5	Gehen wir jetzt endlich	☐ an dem Strand?	☐ an den Strand?
6	Es war sehr windig	☐ an der Atlantikküste.	☐ an die Atlantikküste.

5 Woher kommen die Personen? Ordnen Sie zu.

		Bild			Bild
a	Er kommt aus der Wüste.	☑	d	Sie kommen vom See.	☐
b	Er kommt aus den Bergen.	☐	e	Er kommt vom Strand.	☐
c	Sie kommen aus dem Wald.	☐	f	Er kommt von der Insel.	☐

6 Ergänzen Sie.

	Sie ist ... (**wo?**)	Sie geht/fährt ... (**wohin?**)	Sie kommt gerade ... (**woher?**)
a	*am* Meer.	*ans* Meer.	*vom* Meer.
b	.... Wüste.	.... Wüste.	.... Wüste.
c	.... Küste.	.... Küste.	.... Küste.
d	.... Insel.	.... Insel.	.... Insel.
e	.... Berlin.	.... Berlin.	.... Berlin.
f	.... Türkei.	.... Türkei.	.... Türkei.
g	.... Chiemsee.	.... Chiemsee.	.... Chiemsee.
h	.... Strand.	.... Strand.	.... Strand.
i	.... Gebirge.	.... Gebirge.	.... Gebirge.
j	.... Wald.	.... Wald.	.... Wald.

A3 **7** **Ergänzen Sie.**

nach ● auf ● im ● nach ● am ● im ● aus ● zum ● ans ● vom

> *Liebe Sigi,*
>
> *wir sind jetzt ...auf....... Ibiza. Die Insel liegt südlich von Mallorca. Florian wollte ja eigentlich*
> *wieder .... Finnland fahren, aber mir ist es da zu kalt. Ich will immer .... Meer fah-*
> *ren und .... warmen (!!!) Wasser schwimmen. Unser Hotel liegt ganz nah .... Meer.*
> *Wir gehen nur fünf Minuten .... Strand. Traumhaft! Immer, wenn wir .... Strand*
> *zurückkommen, haben wir großen Hunger. Wie gut, dass es ein Restaurant .... Hotel gibt!*
> *Gestern haben wir eine lange Wanderung gemacht und sind erst spät abends .... den Bergen*
> *zurückgekommen. Ich war total müde! Leider fliegen wir morgen schon wieder zurück ....*
> *Frankfurt.*
> *Herzliche Grüße*
> *Brigitte*

A3 **8** **Ergänzen Sie.**

ins ● im ● aus ● ins ● zu ● bei ● von ● am ● auf

> Hallo Ina,
> gestern sind wir .aus.......... Spanien zurückgekommen. Wir haben dort ....
> meiner spanischen Freundin Ines gewohnt. Es war wunderbar! Den ganzen Tag
> waren wir .... Strand, sind oft .... Meer geschwommen. Einmal haben wir
> einen Ausflug gemacht und sind .... eine Insel gefahren. Als wir mit dem
> Schiff .... der Insel zurückgefahren sind, ist auf einmal ein kräftiges Gewitter
> gekommen. Wir sind total nass .... Hause angekommen. Das war unglaublich!
> Ab morgen muss ich nun wieder .... Büro. Puh! Wir wollten doch mal zusammen
> .... Gebirge zum Wandern gehen!? Hast Du am Samstag Zeit?
> Viele Grüße
> Christine

A3 **9** **Wo waren Sie schon? Wohin möchten Sie gern fahren? Schreiben Sie.**

Sehen Sie sich die Landkarte von Deutschland, Österreich und der Schweiz am Anfang
des Buches an.

Ich war schon einmal an der Nordsee. Das war toll! Wir haben ...
Ich würde gern einmal ... fahren.

A3 **10** **Ergänzen Sie.**

windig ● anstrengend ● kalt ● trocken ● gefährlich

a ■ Na, wie war euer Urlaub in Dänemark?

   ▼ Die Landschaft dort ist wunderschön, aber wir hatten Pech mit dem Wetter. Es war
     kalt..... und am Meer immer ein bisschen ....

b ■ Im Urlaub in die Wüste? Das ist doch .... ! Hast du da keine Angst?

c ● Mit Gert gehe ich nicht mehr in die Berge zum Wandern. Der geht vier Stunden ohne Pause
    den Berg hoch. Das ist mir viel zu ....

d ▲ Ihr fahrt im August nach Madrid? Da hat es doch tagsüber mindestens 35°C!
   ● Ja, aber die Luft dort ist .... und das finde ich sehr angenehm.

11 Ergänzen Sie.

A **Ferien auf dem Bauernhof:** Ruhig*e* Lage.
Schön*er* Spielplatz, kinderlieb........ Tiere,
mit viel........ Freizeitmöglichkeiten in
wunderbar........ Umgebung.
Jede Wohnung mit eigen........ Bad,
extra WC und mit eigen........ Küche.
Tel.: 0171/53367921

B **Sie möchten mal wieder verreisen?**
Schön........ Ferienwohnungen zu vermieten!
Wir bieten modern....... Wohnungen (1–3
Zimmer) in ruhig....... Lage am See.
Im Juni und Juli noch frei. Tel.: 02843/6246

C Groß.............. Zelt für 4–6 Personen
zu verkaufen. Tel.: 0179/733667

D Von Privat: **Ruhig*es* Ferienhaus
im Schwarzwald**

Genießen Sie:
• Urlaub ohne laut........ Verkehr.
• Schön........ Landschaft.
• 4 groß........ Zimmer mit schön........ Blick
auf die Berge.
• Gut........ Essen und gut........ Service.

12 Tragen Sie Beispiele aus Übung 11 in die Tabelle ein.

	maskulin (der)	neutral (das)	feminin (die)	Plural (die)
Nominativ	*schöner*........ Spielplatz	.... Haus	.... Lage	.... Tiere
Akkusativ	ohne .... Verkehr	.... Zelt	.... Landschaft	.... Wohnungen
Dativ	mit .... Blick	mit .... Bad	mit .... Küche	mit .... Freizeitmöglichkeiten

13 Ergänzen Sie.

a Suche klein........... Zelt für 2 Personen.

b Günstig........... Ferienwohnung mit groß........... Balkon und

groß........... Küche auf Bauernhof für tierlieb........... Familie noch frei.

c Suche ruhig........... Unterkunft in günstig........... Pension oder bei

nett........... Familie vom 17.7.–24.7.

d Rom: Klein........... Hotel mit ruhig........... Zimmern in historisch...........

Zentrum. Zimmer ab 79 € pro Nacht.

der Balkon
die Familie
die Unterkunft
die Pension
das Hotel
das Zimmer
das Zentrum

14 Schreiben Sie eine Kleinanzeige zu einem Foto.

a der Bauernhof ● Hunde und Schweine ● die Ferienwohnung ●
das Zimmer ● der Balkon ● das Gebirge ●
der Fluss ● günstig ● tierlieb ● schön ● ruhig ● …

b der Campingplatz ● der See ● das Schiff ●
der Spielplatz ● sauber ● ruhig ● …

c das Hotel ● der Blick ● die Lage ● der Strand ●
der Balkon ● das Schwimmbad ● modern ● groß ●
günstig ● kinderfreundlich ● …

Wiederholung
Schritte int. 2 **15** **Ergänzen Sie: am – um – im – bis – von … bis – für.**

a ■ Wann ist denn das Reisebüro geöffnet? Weißt du das?

● Ja, ... Montag .... Freitag .... 10 Uhr .... 18.30 Uhr
und .... Samstag, glaube ich, schließen sie .... 14 Uhr.

b ▼ Ich möchte bitte ein Doppelzimmer reservieren.

▲ Ja gern, wann brauchen Sie das Zimmer?

▼ .... Freitag.

▲ Und für wie lange?

▼ .... Montag früh, also .... drei Nächte.

c ● Wann machst du denn dieses Jahr Urlaub?

▲ Leider erst .... Herbst, wahrscheinlich .... Oktober.

d ■ Wann hat denn Inge Geburtstag?

● .... 13. Februar.

Wiederholung
Schritte int. 2 **16** **Ergänzen Sie: vor – seit – nach.**

a ■ Wie lange wartest du denn schon? – ● .... zehn Minuten.

b ▼ Wann hat denn Frau Suter angerufen? – ■ .... ungefähr einer Stunde.

c ▼ Was machst du heute noch? – ▲ .... dem Unterricht fahre ich erst einmal nach Hause.

d ▲ Wann gehst du immer joggen? – ● Früh morgens .... der Arbeit.

e ● Wie lange leben Sie schon in Deutschland? – ■ .... zwei Jahren.

C2 **17** **Reisen. Was ist richtig? Markieren Sie.**

a ■ Kann ich Ihnen helfen?

● Ja, ich möchte bitte einen Flug nach Berlin mit Hotel ab/für zwei Nächte buchen.

■ Da gibt es Flüge von/ab 99 €. Außerdem kann ich Ihnen ein sehr schönes kleines Hotel im Zentrum empfehlen. Dort kostet die Nacht im Einzelzimmer 89 € mit Frühstück und 79 € für/ohne Frühstück.

b ▼ Na, wie war denn euer Urlaub?

▲ Sehr schön, aber die Reise war sehr anstrengend. Erst hatte unser Flug ab/über drei Stunden Verspätung. Deshalb haben wir die Fähre verpasst. Und du weißt, von/bis Oktober an fahren die Fähren nicht mehr so oft. Kannst du dir das vorstellen? Über/Für vier Stunden am Hafen warten!

C3 **18** **Im Reisebüro. Ergänzen Sie das Gespräch.**

Wie lange dauert denn die Busfahrt? ● Wohin möchten Sie denn fahren? ● Für wie viele Personen möchten Sie buchen? ● Was kostet das? ● Gibt es denn noch freie Plätze? ● Fahren die Busse täglich?

▲ Ich habe in einer Anzeige in der Zeitung gelesen, dass Sie günstige Wochenendreisen anbieten.
● Das ist richtig. *Wohin möchten Sie denn fahren?* ....
▲ Nach Amsterdam.
● Ja, da haben wir ein sehr preiswertes Angebot mit dem Bus inklusive zwei Übernachtungen.
▲ ....
● 199 € pro Person.
▲ Das ist wirklich günstig. ....
● Ungefähr sieben Stunden. Wir fahren in komfortablen Bussen über Nacht. So kommen Sie schon am Morgen um 7 Uhr in Amsterdam an.
▲ Ja, das interessiert uns sehr. ....
● Nein, nur Dienstag, Donnerstag und Freitag abends.
▲ Freitag wäre gut. ....
● Einen Moment bitte. … Ja, es sind noch einige Plätze frei. ....
▲ Für mich und meine Frau.
● Gut, dann mache ich jetzt die Buchung.

19 Ordnen Sie zu und schreiben Sie.

Wofür interessierst du dich? ● Wir könnten … fahren. ● Bitte komm mich doch besuchen! Ich würde mich sehr freuen! ● Möchtest du gern …? ● Ich könnte dir … zeigen. ● Hast du Lust auf einen Besuch in …? ● Du bist herzlich eingeladen. ● Was möchtest du gern machen? ● Hier kannst du auch … besichtigen. ● Ich möchte dich gern nach … einladen.

| jemand einladen | Vorschläge machen | nach Wünschen fragen |

Du bist herzlich eingeladen.   …   …

20 Was passt? Ordnen Sie zu.

Sie möchten einen Freund zu sich nach Hause einladen. Was kann man dort gemeinsam machen?

Man kann …

an einen	Museum	gehen
ins	Schiff	fahren
mit dem	Kneipe	gehen
ins	Ausflug	fahren
in eine	Fußballstadion	gehen
einen	Kino	machen
ins	See	gehen

21 Hier gibt es ein paar Fehler. Schreiben Sie die Postkarte richtig.

Lieber Maria,
Wie geht es Dir? Ich denke oft an unsere gemeinsame Zeit in Rom.
Ich werde Dich gern wiedersehen. Deshalb möchte ich Dich zu
Wien einladen. Hier können wir viele schöne Sachen
zusammen machen: auf den Neusiedler See fahren (er liegt circa eine
Stunde außer von Wien), auf der Donau Schiff fahren und abends in
typische Wiener Kneipen gehen. Natürlich es gibt auch viel Kultur
in Wien: Wir könnten zum Beispiel das Nationalmuseum oder das
Schloss Schönbrunn schauen. Oder hast Du Lust in einen Besuch
in den wunderbaren Kaffeehäusern? Ich freue mich wirklich sehr
auf einen Besuch von Dich! Bitte schreib mir bald!
Viele Grüßen
Angela

Liebe…

22 Antworten Sie auf die Postkarte aus Übung 21.

Dank für Einladung: komme gern ● noch nie in Wien ● Schloss besichtigen und Schiff fahren super ● auch Kaffeehäuser ● Schwester mitkommen?

Liebe Angela,
vielen Dank für Deine Karte. Ich habe mich sehr darüber gefreut.
Natürlich …
…
…
Also, dann bis bald in Wien.
Herzliche Grüße
Maria

23 Antworten Sie auf die Postkarte aus Übung 21.

Bedanken Sie sich für die Einladung. Leider haben Sie jetzt keine Zeit, weil Sie gerade eine neue Arbeit gefunden haben. Laden Sie Angela in Ihre Heimatstadt ein.

D3 **24** **Einen Ausflug planen**

Welche Ausflugsmöglichkeiten gibt es in Ihrer Heimatstadt oder in der Umgebung für ältere Menschen, für junge Leute, für Familien?

Arbeiten Sie in Kleingruppen und sammeln Sie Informationen, Prospekte, Postkarten … Machen Sie dann zusammen eine Wandzeitung. Diskutieren Sie die Vorschläge und wählen Sie das beste Ausflugsziel.

junge Leute	Familien	ältere Menschen
…	…	Schifffahrt auf der See
…	…	…

D3 Phonetik **CD3** 20 **25** **Sehen Sie die Wörter an. Hören Sie dann und achten Sie auf die betonten Wörter. Was hören Sie? Markieren Sie.**

Apartmenthotel ● Boot ● Ferienwohnungen ● Preis ● zwei oder drei Apartments ● ab 15 Euro ● Mecklenburgische Seenplatte ● seltene Vögel ● Auto mieten ● von See zu See ● Zwei- und Drei-Zimmer-Apartments ● ohne Lärm ● ohne Autos ● Natur und Ruhe ● alle Zimmer mit Balkon ● modern und gemütlich ● sehr groß

D3 Phonetik **26** **Lesen Sie die Texte. Markieren Sie die Betonung ╱ ──, die Satzmelodie → ↘ und die die Pausen | ‖ .**

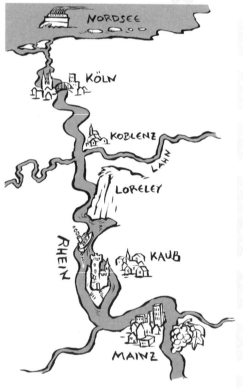

a Rheinreise ↘ |
Ich sage: → Eins. ↘ |
Vorbei an Mainz. ↘ ‖
Ich sage: → Zwei. ↘ |
An Kaub vorbei. ↘ ‖
Ich sage drei: → |
Die Loreley. ↘ ‖
Ich sage vier: ▮
In Köln ein Bier. ▮
Ich sage überhaupt
nichts mehr. ▮
Ich staune nur: ▮
Da ist das Meer. ▮

b Die Ameisen

In Hamburg leben zwei Ameisen, ▮
Die wollen nach Australien reisen. ▮
Bei Altona auf der Chaussee, ▮
Da tun ihnen schon die Beine weh, ▮
Und da verzichten sie weise ▮
Dann auf den letzten Teil der Reise. ▮

Text leicht verändert.
Original siehe Quellenverzeichnis.

CD3 21-22 **Hören Sie und vergleichen Sie.**

27 **Woran denken Sie bei ...? Ordnen Sie zu.**

fit sein ● Museen besichtigen ● faul sein ● wilde Natur ● ein Schloss besichtigen ● Fußball spielen ●
am Strand liegen ● täglich joggen ● durch die Wüste fahren ● im Gebirge wandern ● Dschungel ●
verrückte Leute ● kein Stress ● einen Tenniskurs machen ● Radtour im Gebirge ● Risiko

a Abenteuerurlaub:

b Kultururlaub:

c Erholungsurlaub:

d Sporturlaub: *fit sein,*

28 **Urlaub. Lesen Sie und kreuzen Sie an: richtig oder falsch?**

Mit dem Fahrrad um die ganze Welt

Von ihrer Weltreise auf dem Fahrrad zurückgekehrt sind Peter und Sylvia Uhlmann. Der
Bürgermeister, viele Freunde und Verwandte waren gestern Nachmittag beim Empfang im Rathaus
von Günzburg. „Wir sind glücklich, dass wir wieder gesund zu Hause angekommen sind. Aber wir
würden sofort wieder so eine Reise machen", sagten die beiden. „In ein paar Jahren wollen wir
wieder mit dem Fahrrad aufbrechen, aber dann nur durch einen Kontinent. Das wird Südamerika
sein. Bis dahin müssen wir aber noch ein bisschen arbeiten und Geld verdienen."

	richtig	falsch
a Peter und Sylvia sind mit dem Fahrrad um die ganze Welt gefahren.	☐	☐
b Sie machen sofort wieder eine Weltreise.	☐	☐
c Nächstes Jahr fahren sie nach Südamerika.	☐	☐

29 **Notieren Sie im Lerntagebuch: Lernen mit allen Sinnen.**

Das Meer, die Stadt, das Land … Was gibt es dort? Wie sieht es dort aus? Wie riecht es?
Wie fühlen Sie sich dort? Welche Erinnerungen haben Sie? Wann und wo waren Sie schon dort?
Was haben Sie erlebt?

Suchen Sie auch Wörter im Wörterbuch. Schreiben Sie.

LERNTAGEBUCH

blau, ...
salzig, ...
ruhig, ...
das Meer
Woran denke ich?
...
Wie fühle ich mich?
glücklich, ...
Wann + Wo?
...

Prüfung
23-25 □□

30 **Radiodurchsagen. Was ist richtig? Hören Sie und kreuzen Sie an.**

Sie hören drei Informationen aus dem Radio. Zu jedem Text gibt es eine Aufgabe.
Kreuzen Sie an. Sie hören jeden Text einmal.

a Wie ist das Wetter in Norddeutschland morgen?
☐ Es regnet.   ☐ Es ist windig.   ☐ Es ist sonnig.

b Was soll Herr Reimer machen?
☐ Sofort nach Hause fahren.   ☐ Seine Mutter anrufen.   ☐ Seine Frau anrufen.

c Worauf sollen die Autofahrer auf der Autobahn zwischen München und Lindau aufpassen?
☐ Es regnet stark.   ☐ Es gibt einen Stau.   ☐ Es gibt ein Tier auf der Autobahn.

Umgebung

Gebirge das, – ....

Grenze die, -n ....

Insel die, -n ....

Küste die, -n ....

Region die, -en ....

Strand der, ¨e ....

Umgebung die ....

Dschungel der, – ....

Wüste die, -n ....

Ferien

Ferien die ....

sich erholen,
  hat sich erholt ....

verreisen,
  ist verreist ....

Unterkunft

Aufenthalt der ....

Aussicht die, -en ....

Camping das ....

Campingplatz
  der, ¨e ....

Lage die, -n ....

Pension die, -en ....

Service der ....

Unterkunft die, ¨e ....

Zelt das, -e ....

Weitere wichtige Wörter

Aushilfe die, -n ....

Fähre die, -n ....

Flug der, ¨e ....

Handtuch das, ¨er ....

Huhn das, ¨er ....

Innenstadt die, ¨e ....

Laune die, -n ....

Risiko das, Risiken ....

Schwein das, -e ....

Spielplatz der, ¨e ....

Tabelle die, -n ....

Traum der, ¨e ....

Verkehrsmittel
  das, – ....

Wärme die ....

WC das, -s ....

sich beeilen,
  hat sich beeilt ....

beobachten,
  hat beobachtet ....

grüßen,
   hat gegrüßt ....

stinken,
   hat gestunken ....

anstrengend ....

blond ....

einsam ....

gemeinsam ....

giftig ....

herrlich ....

leer ....

neugierig ....

trocken ....

zurzeit ....

nahe ....

über ....

von ... an ....

Welche Wörter möchten Sie noch lernen?

....
....
....
....
....
....
....
....
....
....
....
....
....
....
....
....
....

A2 **1** **Ergänzen Sie.**

Geldautomat ● Kreditkarte ● Bank ● Geld abheben ● Service-Nummer ● Telefonkarte

a Da steht der *Geldautomat* . Hier können Sie Geld bekommen, wenn die .... zu ist.

b Wenn man Geld von der Bank holt, nennt man das auch ....

c Mit einer .... kann man bezahlen, mit einer .... kann man telefonieren.

d Wenn man seine Kreditkarte verloren hat, muss man die .... von der Bank anrufen.

A2 **2** **Was fragen die Personen? Schreiben Sie.**

> Entschuldigung, können Sie mir sagen, wo der Bus nach Durlach abfährt?

a *Wo fährt der Bus nach Durlach ab?*

▲ Und kannst du schon sagen, wie alt du bist? **b** *Wie alt* ....

▲ Sag mir jetzt bitte, wann du nach Hause kommst. **c** ....

▲ Weißt du, wie viel Geld wir noch haben? **d** ....

▲ Entschuldigung, wissen Sie, wie lange der Film dauert? **e** ....

▲ Ich frage mich die ganze Zeit, was dieses Wort bedeutet. **f** ....

▲ Sagst du mir bitte, wo du das gefunden hast! **g** ....

A2
Grammatik
entdecken
3 **Ergänzen Sie die Sätze aus Übung 2 in der Tabelle.**

1	Wo	*fährt*	der Bus nach Durlach	ab?
2	*Können Sie mir sagen,*	wo	der Bus nach Durlach	abfährt?

A2 **4** **Opa hört nicht mehr gut. Schreiben Sie.**

■ Hallo, Opa.

● Was? Wer spricht da?

■ Ich bin's, Sandra. Wie geht's dir?

● Was sagst du?

a ■ *Ich habe dich gefragt, wie es dir geht* ....

● Ach so. Danke, gut.

■ Und was machst du gerade?

● Was hast du gesagt?

b ■ Ich habe gefragt, *was du* ....
....

● Ich möchte gerade meinen neuen Computer anschließen.

■ Ein neuer Computer? Wann hast du den gekauft?

● Wie bitte?

c ■ Ich habe gefragt, ...
....

● Ach so, gestern.

■ Und wo?

● Was meinst du?

d ■ Ich möchte wissen, ...
....

● Bei Sparstadt in der Computerabteilung. Aber – wie schließt man bloß so ein Ding an?

■ Was meinst du, Opa?

e ● Hörst du nicht gut? Ich frage mich, ...
....

■ Warte, ich komme heute Abend bei dir vorbei und helfe dir.

● Was hast du gesagt ...?

<u>5</u> **Wie heißt es richtig? Kreuzen Sie an.**

a ☐ Ich möchte wissen, wo ist die Schokolade.
   ☒ Ich möchte wissen, wo die Schokolade ist.

b ☐ Weißt du, wie spät es ist?
   ☐ Weißt du, wie spät ist es?

c ☐ Woher du kommst?
   ☐ Woher kommst du?

d ☐ Ich frage mich, wie lange diese Übung noch dauert.
   ☐ Ich frage mich, wie lange dauert diese Übung noch.

e ☐ Wie geht es Ihnen?
   ☐ Wie es Ihnen geht?

<u>6</u> **Was muss man hier eintragen? Schreiben Sie.**

Postbank Privat-Girokonto

Eröffnen Sie für mich ein Privat-Girokonto
☐ Postbank Giro plus   ☐ Postbank Giro extra plus

Kundin/Kunde/Kontobezeichnung
☐ Frau   ☐ Herr

Vorname	akademischer Grad
a Name	
b Straße, Hausnummer	
Postleitzahl	Ort
c Geburtsdatum	Geburtsort
d ggf. Geburtsname	Staatsangehörigkeit
e Vorwahl	Rufnummer
f	

Hier müssen Sie eintragen, …

a *wie sie heißen.*..

b *wo*...

c ....

d ....

e ....

f ....

Phonetik 6 <u>7</u> **Hören Sie und markieren Sie die Satzmelodie:** → ↗ ↘

Weißt du schon, → wann du kommst? ■ ● Kommst du heute ■ oder erst morgen? ■

Sag mir bitte, ■ wo wir uns treffen. ■ ● Treffen wir uns um sechs ■ oder lieber erst später? ■

Kannst du mir sagen, ■ wie man das schreibt? ■ ● Schreibt man das mit „h" ■ oder ohne „h"? ■

Ich frage mich, ■ warum du so schlecht gelaunt bist. ■ ● Hast du ein Problem ■ oder bist du nur müde? ■

Phonetik <u>8</u> *Können Sie mir bitte erklären, …* **Ergänzen Sie und sprechen Sie.**

Wissen Sie, …
Kannst du mir sagen, …
Sag mir bitte, …
Können Sie mir bitte erklären, …
Können Sie mir bitte zeigen, …

Welches Formular muss ich ausfüllen? ●
Wie spät ist es? ●
Wo hast du das gesehen? ●
Wie soll ich die Übung machen? ●
Wann ist Herr Müller da? ●
Wo gibt es einen Geldautomaten? ●
Was kostet der Brief? ●
Wann hat die Bank geöffnet? ●
Warum hast du nie Zeit für mich? ●
Was bedeutet dieses Wort? ●
Wo muss ich unterschreiben?

B2 | **9** | **Was passt? Ordnen Sie zu.**

a Gibt es hier einen Geldautomaten?   Nein, es sind noch 5 Euro übrig.
b Kann ich das Eis mit EC-Karte bezahlen?   Nein! Erst, wenn du in der Schule besser wirst.
c Papa, bekomme ich diesen Monat mehr Geld?   Ja, gleich da drüben.
d Hast du das ganze Geld ausgegeben?   Nein, wir nehmen nur Bargeld.

B2 | **10** | **Schreiben Sie die Fragen aus Übung 9 neu.**

a Können Sie mir sagen, ..ob.es.hier.einen.Geldautomaten.gibt? .... ?

b Ich wollte fragen, ...

c Papa, ich möchte dich fragen, ...

d Ich möchte wissen, ...

B2
Grammatik
entdecken | **11** | **Machen Sie eine Tabelle mit Sätzen aus Übung 10.**

Können Sie mir sagen,	ob	es hier einen Geldautomaten	gibt?
...			

B3 | **12** | **Was muss man hier ankreuzen? Schreiben Sie.**

Ich bin ☐ Selbstständige/r. ☐ Angestellte/r. ☐ Arbeiter/in.
a   ☐ Beamtin/Beamter. ☐ Angestellte/r im öffentl. Dienst.   **c**
b   ☐ Schüler/in, Student/in, Auszubildende/r. ☐ Hausfrau/-mann.
        ☐ im Ruhestand. ☐ arbeitslos. ☐ Sonstiges.
d Ich bin wie folgt tätig:
        | Beruf | Branche |

        Ich bin ☐ verheiratet. ☐ ledig. ☐ verwitwet.
e   ☐ geschieden. ☐ getrennt lebend.

Wenn ich möchte, dass die Postbank mich über aktuelle Angebote
der Postbank und des Postbank Konzerns informiert, dann gebe
ich hier an, unter welcher Rufnummer und an welchen Tagen/zu
welchen Zeiten ich von Ihnen angerufen werden möchte.

| Vorwahl | Rufnummer |
Sie erreichen mich (Tag, Uhrzeit)

Hier muss man ankreuzen, ...

a ob.man.Angestellter.oder
Angestellte.ist.

b ob.man...
....

c ....
....

d ....
....

e ....
....

B3 | **13** | **Ergänzen Sie.**

wie ● wo ● wann ● ob ● ob ● ob ● wie lange

a Der Wetterbericht weiß auch nicht, .ob......... es morgen regnet.

b Können Sie mir bitte sagen, ... der Film anfängt.

c Ich frage mich, ... sie mich noch liebt.

d Weißt du, ... der Film noch dauert?

e Ich möchte wissen, ... wir noch eine Übung machen müssen.

f Entschuldigen Sie, können Sie mir sagen, ... hier die Toiletten sind?

g Entschuldigen Sie, wissen Sie, ... spät es ist?

14 Fragen am Bankschalter. Schreiben Sie.

| Ich möchte gerne wissen, … |

a jeder Kunde eine EC-Karte bekommen   *ob jeder Kunde eine EC-Karte bekommt*
b die EC-Karte etwas kosten   ....
c alle EC-Karten eine Geheimnummer haben   ....
d die Bank viele Geldautomaten haben   ....
e man mit der EC-Karte überall Geld bekommen   ....

15 Schreiben Sie kurze Gespräche.

Sie haben Ihre Kreditkarte verloren.   Sie möchten einen Fernseher kaufen, haben aber nicht genug Geld.

Sie gehen in ein Restaurant und haben nur Ihre Kreditkarte dabei.

Sie haben Ihre Geheimnummer vergessen.   Sie haben ein Eis gekauft, haben aber nur Ihre EC-Karte dabei.

▲ *Entschuldigen Sie, können Sie mir helfen?*
▼ *Ja, gern. Was kann ich für Sie tun?*
▲ *Ich habe meine Kreditkarte verloren und möchte wissen, ob ich eine neue bekommen kann.*

16 Ergänzen Sie.

Münzen ● Zinsen ● Zoll ● Bankleitzahl ● bar ● ausgegeben ● leihen ● Bank ● Geldscheine ● Kontonummer ● überweise

a *Geldscheine*............ sind Geld aus Papier. Geld aus Metall sind ....
b Wenn man Geld von der .... leiht, muss man .... bezahlen.
c ■ Und wie viel Geld bekommt deine Tochter im Monat?
   ◆ 30 Euro. Ich .... es direkt auf ihr Konto.
d Ich habe gerade kein Geld dabei. Kannst du mir mal fünf Euro .... ?
e Wenn man Waren in einen anderen Staat mitbringt, muss man .... bezahlen.
f In der Eisdiele nehmen sie keine EC-Karte. Da musst du schon .... bezahlen.
g Oh je! Ich fürchte, ich habe diesen Monat zu viel Geld .... !
h Zur Bankverbindung gehören .... und ....

17 Notieren Sie im Lerntagebuch.

LERNTAGEBUCH

Antwort: Ja./Nein.
*Können Sie mir sagen, **ob** es hier eine Bank gibt?*
*Ich würde gerne wissen, **ob** ....*

Antwort: z.B. In der Parkstraße 21.
Können Sie mir sagen,
***wo** Peter Kraus wohnt?*

C1 | **18** | **Was kann man alles machen lassen? Kreuzen Sie an.**

☒ einen Brief schreiben   ☐ einen Text lesen
☐ jemanden lieben   ☐ das Kleid reinigen
☐ die Wohnung putzen   ☐ sich für Musik interessieren
☐ das Fahrrad reparieren   ☐ die Stadt kennen
☐ ein Formular unterschreiben   ☐ Freunde treffen

C2 | **19** | **Schreiben Sie.**

a Sie schreibt nicht gern Briefe. Sie *lässt* alle Briefe *schreiben* .

b Er putzt seine Wohnung nie, er .... sie ....

c ■ Für dieses Formular brauchen wir noch die Unterschrift vom Chef.

◆ Moment, ich .... es ihn ....

d Ich kann mein Fahrrad nicht reparieren, ich .... es immer ....

e Dieses Kleid kann ich nicht reinigen. Ich .... es ....

C2 | **20** | **Schreiben Sie.**

a Jacke schmutzig – reinigen

▲ Die Jacke ist zu schmutzig. *Du musst sie reinigen lassen* .

● *Gut, ich lasse sie reinigen* .

b EC-Karte verloren – dir eine neue ausstellen lassen

▲ Wenn du deine EC-Karte verloren hast, dann musst ....

● Gut, ich ....

c Haare zu lang – dir schneiden lassen

▲ Deine Haare sind zu lang. Du musst ....

● Gut, ...

d Fahrrad kaputt – reparieren

▲ Dein Fahrrad ist jetzt schon zwei Wochen kaputt. Du musst ....

● Gut, ...

C2 | **21** | **Ergänzen Sie: *sich – mir – dir – uns – euch*.**

a Deine Haare sind so lang. Du solltest sie *dir* schneiden lassen.

b Wir finden Gartenmöbel aus Holz sehr schön. Jetzt lassen wir .... eine Gartenbank machen.

c Meine EC-Karte ist kaputt. Ich muss .... eine neue ausstellen lassen.

d Ihr könnt .... das Geld an Schalter 1 auszahlen lassen.

e Er liebt schöne Kleider. Seine Anzüge lässt er .... immer nähen.

f Lassen Sie .... Obst und Gemüse auch immer nach Hause liefern, Frau Müller?

C2 | **22** | **Ergänzen Sie: *lassen***

a Das ist zu schwer! *Lass* dir doch helfen!

b Ich habe keine Lust mehr. Die E-Mail .... ich meine Freundin beantworten.

c Die Jacke sieht nicht gut aus. Wir .... sie reinigen.

d Unsere Nachbarn .... ihre Wohnung nie renovieren.

e .... ihr euch auch manchmal Pizza nach Hause bringen?

f Sie nimmt nie die U-Bahn. Sie .... sich immer vom Bahnhof abholen.

23 Die letzte Woche war ganz verrückt. Schreiben Sie.

reparieren ● reinigen ● beim Arzt untersuchen ● nähen ● Tür öffnen ● Haare waschen

Also, die letzte Woche war ganz verrückt. Am Montag ist mein Auto kaputtgegangen und ich musste es reparieren lassen. Am Dienstag habe ich meinen Hausschlüssel vergessen und ich musste die Tür ...

24 Was machen Sie diesen/nächsten/jeden Monat? Schreiben Sie.

Mai	Juni	Juli	August
3. Auto zur Werkstatt	8. Wohnung renovieren		Urlaub !!!
12. Seminar in Leipzig	15. Sportfest		
23. Anmeldung VHS	18. Zahnarzt		
	25. Friseur		
30. Miete überweisen	30. Miete überweisen	30. Miete überweisen	30. Miete überweisen

Diesen Monat muss ich das Auto zur Werkstatt bringen und ...
Nächsten ...

phonetik
7-28 | 🔊 **25** Lesen Sie die Texte und markieren Sie die Betonung ˊ ___ . Hören Sie und vergleichen Sie.

a Der Fuchs schreibt an die Gans:
„Ich liebe dich. Dein Hans."
Die Gans schreibt ihm ganz schlau zurück:
„Besuch mich auf dem Teich. Viel Glück!"

b Der Hahn schreibt an die Hühner:
„Ihr werdet immer schüner!"
Da gackern laut die Hühner:
„Der Kerl wird immer dümer!"
Texte leicht verändert. Original siehe Quellenverzeichnis

Im Text b stimmt etwas nicht. Korrigieren Sie.
Sprechen Sie dann die Texte. Achten Sie auf die markierten Buchstaben.

D3

26 **Was passt? Kreuzen Sie an.**

	irgend...					
	wann	wo	welche	eine	wer	was
a			x			
b						
c						
d						
e						
f						

a Hast du noch irgend................. alten Urlaubsfotos?

b Wo ist denn mein Lottoschein? Er muss doch irgend................. sein!

c Hast du irgend................. gesagt? Ich habe nichts verstanden!

d Na ja, irgend................. Chance hat man immer.

e Bist du dir sicher, dass du irgend................. mal im Lotto gewinnst?

f Im Lotto gewinnt immer irgend................. .

D4
Schreibtraining

27 **Geld macht glücklich, oder?**

a **Lesen Sie die Texte.**
Welche Überschrift passt zu welchem Text? Ordnen Sie zu.

Text

1 Lottogewinnerin möchte wieder arbeiten ☐
2 Lottogewinner arm gestorben ☐
3 Letztes Spiel für „Lotto-Verein" ☐

A

Hans G. gewinnt 2 Millionen Euro im Lotto. Dann malt er „Wegen Reichtum geschlossen" an sein Haus und geht auf Weltreise. Das war vor fünf Jahren. Gestern ist er gestorben. Die Beerdigung müssen seine Kinder bezahlen. Er selbst hat sein ganzes Geld ausgegeben und hatte keinen einzigen Euro mehr.

B

Hilde F. hat vor zwei Jahren im Lotto gewonnen. Sie hat ihre Stelle aufgegeben, hat sich eine teure Wohnung gekauft und luxuriöse Reisen gemacht. Aber glücklich ist sie wohl nicht: „Ich habe heute nur noch einen Wunsch: Ich möchte wieder wie ein normaler Mensch leben und wieder in meiner alten Firma arbeiten."

C

Der Klangtaler Fußballklub hat kein Geld mehr. Klubpräsident Anton Spieß hat den Verein mit Geld aus einem Lottogewinn erst vor drei Jahren gegründet und Spieler, Sportplatz und Gaststätte gekauft. „Der eigene Fußballverein – das war immer mein Lebenstraum", sagt Spieß. „Auch wenn das ganze Geld jetzt weg ist: Es war eine schöne Zeit."

b **Chatforum im Internet. Was meinen Sie?**
Zu welchem Text in a passt die Antwort?

Microsoft-Websites   MSN-Websites   Apple

Das finde ich gut. Man sollte auch als Lottogewinner normal weiterleben und nicht das ganze Geld ausgeben. Ich würde das auch nicht machen, weil das schnell langweilig wird. Natürlich kann man mal eine schöne Urlaubsreise machen oder ein neues Auto kaufen.
Aber Luxus macht nicht glücklich.

c **Suchen Sie einen Text in a aus und schreiben Sie Ihre Meinung im Chatforum.**

28 **Ein Praktikum in Deutschland**

Ihr Freund Antonio aus Spanien arbeitet ab September bei einer deutschen Firma.
Jetzt muss er ein Konto bei einer Bank eröffnen. Sie helfen ihm dabei.
Schreiben Sie die fehlenden Informationen in das Formular unten.

Sehr geehrte Damen und Herren,

ich studiere in Barcelona Ingenieurwissen-
schaften und möchte im nächsten Jahr ein
Praktikum in Deutschland in Ihrer Firma
machen.

...

Optische Werke Lamstein
Am Hochufer 38-42
43123 Lamstein

Sehr geehrter Herr Villas Lobos,

wir freuen uns, Ihnen mitteilen zu können, dass
wir Ihnen ab dem 1. September
einen Praktikumsplatz in unserer
Entwicklungsabteilung anbieten können.

In dieser Zeit können wir Sie in unserem
Wohnheim in der Carl-Benz-Str. 19
unterbringen. Bitte teilen Sie uns noch mit,

Lebenslauf

persönliche Daten:

Antonio Villas Lobos
Avendida di Valvidera
ES-80225 Barcelona

antonio.lobos@teledat.es

Tel. +34 93 26480217
geb. 4. März 1986
Familienstand: ledig

Schule und Ausbildung:

Antonio Villas Lobos

Carl-Benz-Str. 19
43123 Lamstein
Tel. 04321/346536
antonio.lobos@teledat.es

X Bank international

p

Antrag auf Eröffnung eines Girokontos

Antonio *Villas Lobos* (0)	*04321* *34.65.36*	
Vorname Name	Vorwahl Rufnummer	
.... (1)	.... (4)	
Straße, Hausnummer	Beruf	
43123 *Lamstein*		
Postleitzahl Ort		
	Familienstand ☐ ledig (5)	
Barcelona (2)	☐ verheiratet	
Geburtsdatum Geburtsort		
Spanien (3)		
Land Staatsangehörigkeit		

Auf der Bank

Geldautomat
der, -en
....

Konto das, Konten ....

Zinsen die ....

Geld ab·heben,
hat abgehoben
....

Geld ein·zahlen,
hat eingezahlt
....

Geld überweisen,
hat überwiesen
....

Rund ums Geld

Bargeld das ....

EC-Karte die, -n ....

Kreditkarte die, -n ....

Zoll der, ¨e ....

bar bezahlen,
hat bar bezahlt
....

Weitere wichtige Wörter

Biergarten der, ¨ ....

Chance die, -n ....

Gewinn der, -e ....

Kissen das, – ....

Kopie die, -n ....

Krankenkasse
die, -n
....

Original das, -e ....

Organisation die,
-en
....

Prost! ....

Rente die, -n ....

Schein der, -e ....

Schreiben das, – ....

Staat der, -en ....

Telefonkarte die,
-n
....

Tüte die, -n ....

Ware die, -n ....

Zukunft die ....

auf·hören,
hat aufgehört
....

auf·schreiben,
hat aufgeschrieben
....

ein·fallen,
dir/ihm fällt ein,
ist eingefallen
....

gelten, es gilt,
hat gegolten
....

kopieren,
hat kopiert
....

malen, hat gemalt ....

nähen, hat genäht ....

renovieren,
hat renoviert
....

richtig gehen,
ist richtig gegangen
....

tragen,
  du trägst, er trägt,
  hat getragen ....

verstecken,
  hat versteckt ....

verteilen,
  hat verteilt ....

außerdem ....

beim ersten/
  zweiten/... Mal ....

irgend- ....

mitten in ....

enttäuscht ....

ob ....

diesen/jeden/
nächsten Monat ....

Welche Wörter möchten Sie noch lernen?

....
....
....
....
....
....
....
....
....
....
....
....
....
....
....
....
....
....
....
....
....

A4 **1** **Kindheit und Jugend auf dem Land. Ergänzen Sie in der richtigen Form:**
dürfen – können – müssen – sollen – wollen – sein – haben

a ■ *Solltest*.............. du denn nicht den Bauernhof von deinem Vater übernehmen?

● Doch natürlich .... ich das. Aber ich .... nicht.

b ▲ .... ihr früher sonntags lange schlafen?

▼ Nein, wir .... immer um acht Uhr aufstehen und in die Kirche gehen.

c ■ .... du auch immer nachmittags deinen Eltern bei der Arbeit helfen?

● Nur manchmal. Aber danach .... wir immer unsere Freunde treffen.

d ▼ .... du gute Noten in der Schule?

◆ Oh nein, ich .... ein schlechter Schüler. Aber ich .... eine Lehre als Kfz-
Mechaniker machen. Das .... immer mein Traum und dafür braucht man kein Abitur!

A4 **2** **Kindheit und Jugend. Ergänzen Sie in der richtigen Form.**

a Anna, wann *ist*.......... denn deine Oma *gestorben*................ ? (sterben)

b Als Kind .... ich beim Spielen einmal in ein Loch .... Dabei
.... ich mich am Fuß so schwer .... , dass ich nach der Operation
noch zwei Wochen im Krankenhaus .... (fallen – verletzen – liegen müssen)

c Ich .... in einem kleinen Dorf am See .... (aufwachsen)

d Wir Kinder .... immer auf dem Bauernhof .... (mitarbeiten)

e Wenn wir für unsere Mutter .... , dann .... wir
manchmal ein Stück Schokolade in dem Geschäft .... (einkaufen –
bekommen)

f Unser Opa .... uns oft Geschichten aus seiner Kindheit .... (erzählen)

g Am Wochenende .... ich oft zu meiner Oma .... Bei ihr .... es mir immer
sehr .... (fahren – gefallen)

A5 **3** **Katrins Kindheit. Schreiben Sie.**

Würstchen braten ● Fußball spielen ● vorlesen ● im Garten arbeiten ● Campingurlaub machen ●
Feuer machen ● auf Bäume klettern ● ...

A	B	C

D	E	F

F: ... und jetzt Sie!
Was haben Sie
noch gemacht?

a *Katrins Oma hat ihr oft aus Kinderbüchern vorgelesen. Das war schön!* ....
....
....

4　**Jugendliche und ihre Eltern. Was wünschen sie sich? Schreiben Sie die Sätze**
　　freundlicher mit: *Ich würde gern ... – Ich hätte gern ... – Ich möchte ... – Ich wäre gern ...*

a　Ich will jetzt in Ruhe Zeitung lesen! *Ich würde jetzt gern* ....

b　Ich will jetzt allein sein! ....

c　Ich will ein neues Fahrrad haben! ....

d　Ich will jetzt in Urlaub fahren! ....

e　Ich will weniger arbeiten! ....

f　Ich will bei meinem Freund wohnen. ....

5　**Probleme von Jugendlichen**

a　**Wer hat welches Problem? Überfliegen Sie die Texte und kreuzen Sie an.**

	schlechte Noten	Urlaub mit Eltern	Aussehen	der Freund
1 Michael				
2 Sonja				
3 Arnold				
4 Elisa				

1 *Gestern habe ich schon wieder eine Sechs in Mathe bekommen. Jetzt ist klar, dass ich die 9. Klasse wiederholen muss. Das Problem ist: Ich habe meinen Eltern ganz oft die schlechten Noten nicht gesagt. Sie glauben, dass ich die Klasse bestehe. Was soll ich jetzt machen? Einen Monat vor den Zeugnissen? Ich habe solche Angst vor dem letzten Schultag!*　　　　　　　　　　　　　　**Michael N. (15 Jahre)**

Frau Dr. Erika Burger rät:
Lieber Michael,
ich kann gut verstehen, dass du Angst vor deinen Eltern hast. Aber wenn du
jetzt bis zum letzten Schultag wartest, dann machst du alles nur noch schlimmer
und deine Eltern sind auch noch sauer, weil du ihnen so lange nicht die
Wahrheit gesagt hast. Also, du solltest ...

2 Ich weiß nicht mehr, was ich machen soll.
Immer wenn ich mit meinem Freund ausgehe,
flirtet er vor meinen Augen mit anderen Mädchen.
Letzte Woche sogar mit meiner Freundin! Wenn
ich dann sauer bin, sagt er, dass er nur mich liebt.
Soll ich ihm das glauben?　**Sonja M. (17 Jahre)**

3 Meine Eltern wollen mit mir im Sommer in Urlaub fahren.
Bis jetzt sind wir immer gemeinsam gefahren. Aber ehrlich gesagt habe ich überhaupt keine Lust. Ich würde viel
lieber mit meinen Freunden fahren.
Ich weiß aber genau, dass dann meine Eltern enttäuscht
sind. Was soll ich tun?　　**Arnold K. (16 Jahre)**

4 In letzter Zeit fühle ich mich so unattraktiv und dick. Meine Freundinnen haben
immer so tolle Kleider an und sehen gut aus. Ich kann mir aber solche Kleider
gar nicht kaufen, weil ich von meinen Eltern nicht genug Geld bekomme.
Jetzt gehe ich gar nicht mehr mit ihnen weg, weil ich mich so unglücklich fühle.
Noch dazu habe ich auch noch Pickel bekommen.　　**Elisa P. (14 Jahre)**

training　**b**　**Lesen Sie die Antwort von Frau Burger auf Text 1. Welchen Ratschlag geben Sie**
　　　Michael? Schreiben Sie.
　　　offen mit den Eltern reden ● jemand aus der Familie kann helfen ● im neuen Schuljahr Nachhilfe
　　　nehmen ● mehr lernen ● die Eltern zum Essen einladen ● abwarten ● ...

　　　Du solltest/könntest ...

training　**c**　**Schreiben Sie die Antwort zu einem Text.**
　　　Frau Dr. Erika Burger rät:
　　　Liebe / -r ...

C3 **6** Lesen Sie noch einmal den Text im Kursbuch auf Seite 72, C3 und kreuzen Sie an.

	richtig	falsch
a Fast die Hälfte aller Deutschen nennt seinen Partner *Schatz* oder *Liebling*.	☐	☐
b Kosenamen aus der Märchenwelt sind bei Frauen besonders beliebt.	☐	☐
c Runde Frauen nennen ihre Männer gern *Dickerchen*.	☐	☐
d Viele Frauen wie Männer möchten, dass man sie lieber nicht mit Kosenamen anspricht.	☐	☐

C4 **7** Suchen Sie im Wörterbuch und ergänzen Sie.

a Ruhe   **b** Arbeit   **c** erziehen

........................ig   ....*arbeits*.los   ....ung   ....er

un........................   ....er   ....bar   ....in

........................los   ....in

C4 **8** Ergänzen Sie in der richtigen Form.

a ● Das Rätsel ist total schwer.

  ■ Nein, überhaupt nicht. Ich konnte es sofort **lösen**. Es ist wirklich gut ....

b ▲ Schrecklich! Er redet wirklich ohne **Pause**. Er redet ....n............... .

c ● Ich habe im Wetterbericht gehört, dass es morgen den ganzen Tag **Sonne** gibt.

  ■ Ja, ich glaube auch, dass es .... wird.

d ▲ Möchtest du noch ein **Stück** Kuchen?

  ▼ Vielleicht nur so ein kleines ...., ich bin eigentlich schon satt.

e ■ In welche Schule soll ich Frederik denn schicken? Ich kann mich wirklich nicht **entscheiden**.

  ◆ Das verstehe ich, das ist ja auch wirklich keine leichte ....

f ● **Raucht** Carla eigentlich noch?

  ◆ Klar, du weißt doch. Wie war schon immer eine starke ....

g ▲ 100 Kilometer in einer Stunde mit dem Fahrrad fahren? Das ist **nicht möglich**! Das ist ....

h ■ Telefongespräche mit der Nummer 0800 **kosten** den Anrufer **nichts**. Sie sind ....

i ● Schau mal, die süßen, **kleinen Katzen** dort. Ich hätte gern so ein ....

j ▼ Er ist **nicht** sehr **höflich** zu den Kunden. Er ist ....

C4 **9** Bilden Sie Wörter und schreiben Sie.

a [Bild] + [Bild]   *die Kinder...*

     der Garten...

der Kindergarten........................

b [Bild] + [Bild] ....

....

c [Bild] + [Bild] ....

....

d [Bild] + [Bild] ....

....

e [Bild] + [Bild] ....

....

f [Bild] + [Bild] ....

....

10 Liebe ist, wenn...? Ordnen Sie zu und schreiben Sie.

den anderen mit Geschenken überraschen ● sich ohne Worte gut verstehen ● im Alltag noch
gemeinsam Spaß haben und lachen ● sich nach einem Streit immer wieder verzeihen

a *Liebe ist, wenn man sich ohne Worte ...*
b *Liebe ist, ...*

11 Was gehört für Sie zu einer guten Partnerschaft? Ergänzen Sie die Satzanfänge.

gemeinsam kochen ● viel Zeit miteinander verbringen ● über alles reden können ● gemeinsame
Interessen haben ● sich nicht über Geld streiten ● nicht mit anderen flirten ● nie allein sein ● sich
gut kennen ● sich alles sagen können ● den Haushalt gemeinsam machen ● ...

Ich finde es wichtig, dass *man viel Zeit miteinander verbringt.*
Es ist schön, wenn man ...
Eine gute Partnerschaft ist wichtig, weil man ...

12 Heiraten ja oder nein? Ergänzen Sie: *deshalb – aber – denn – trotzdem*

Udo, 23 Jahre

Heiraten finde ich gut,
doch damit lasse ich mir
lieber Zeit, ...
ich will mir ganz sicher
sein.

Thomas, 27 Jahre

Ich bin bereits geschieden.
.... heirate
ich noch mal, wenn ich
die richtige Frau finde.

Klara, 18 Jahre

Heiraten? Wozu? Das
ist doch nur ein Vertrag,
.... mache
ich mir doch nicht so
einen Stress – mit Feier
und so. Ich finde das
nicht wichtig.

Bettina, 21 Jahre

Ich möchte schon gern
heiraten, ...
ich warte noch auf
meinen Traummann.
Irgendwie hat das
etwas Romantisches.

13 Schreiben Sie eine kurze Liebesgeschichte.
Schreiben Sie aus den Wörtern in a oder b eine Geschichte und benutzen Sie dabei
mindestens fünf der folgenden Wörter:

weil ● trotzdem ● denn ● deshalb ● aber ● dass ● wenn

a im Zug – Mädchen – gefallen – ansprechen – Café – Telefonnummern tauschen – ...?
b im Urlaub – Strand – Disko – verliebt – sich trennen nach zwei Wochen – nach Hause fahren –
ein Jahr später: ... ?

a *Eduard wollte im April mit dem Zug nach Glasgow fahren. Deshalb ...*

Wichtige Wörter

Abschnitt der, -e ....

Beamte der, -n ....

Deutsche der/die,
  -n ....

Dorf das, ¨er ....

Energie die, -n ....

Gedanke der, -n ....

  auf andere
  Gedanken kommen,
  ist gekommen ....

Jugend die ....

Krise die, -n ....

Liste die, -n ....

Loch das, ¨er ....

Märchen das, – ....

Maus die, ¨e ....

Mitglied das, -er ....

Operation die, -en ....

Paar das, -e ....

Pension die, -en ....

in Pension sein ....

Raucher der, – ....

Seife die, -n ....

Tod der ....

(Un)Zuverlässigkeit
die ....

aus·gehen,
  ist ausgegangen ....

mischen,
  hat gemischt ....

stehen bleiben,
  ist stehen geblieben ....

sterben, du stirbst,
  er stirbt,
  ist gestorben ....

übernehmen,
  du übernimmst,
  er übernimmt,
  hat übernommen ....

(sich) verletzen,
  hat (sich) verletzt ....

aktiv ....

beliebt ....

dankbar ....

eng ....

nett ....

normal ....

(un)ordentlich ....

pensioniert ....

inzwischen ....

Welche Wörter möchten Sie noch lernen oder wiederholen?

Wo steigen Sie ein? Was möchten Sie noch üben? Wählen Sie aus.

1 Wortbildung: *-ung, -er, -in*.
Schreiben Sie.

a befragen *die Befragung* ....   **f** kaufen ....

b üben ....   **g** fahren ....

c einladen ....   **h** empfehlen ....

d bestellen ....   **i** schwimmen *der/die Schwimmer/-in.*

e wohnen ....

2 Wortbildung: *Autoreifen, Autofahrer, Spielauto ...*
Bilden Sie Wörter.

Apfel ● Auto ● Blumen ● Brille ● Bücher ● Bus ● Computer ● Fahr- ● Fahrer ● Haus ● Kleider ●
Meister ● Mineral ● Rad ● Regal ● Reifen ● Saft ● Schrank ● Schreib- ● Sonnen- ● Spiel ● Strauß ●
Tisch ● Wasser ● Wohn- ● Zimmer

3 Wortbildung: Ergänzen Sie: *lich – ig – isch – los – bar – un*.

a kosten *los* ....   **f** arbeits ....

b les ....   **g** sonn ....

c ....glücklich   **h** dank ....

d wolk...................   **i** höf...................

e regner...................   **j** ....ruhig

4 Indefinitpronomen: *einer, eins, eine, welche – keiner,* ...
Ergänzen Sie.

a ● Haben wir noch Bananen?   ■ Nein, es sind *keine* .... mehr da.

b ● Ist noch ein Joghurt im Kühlschrank?   ■ Ja, es ist noch .... da.

c ● Brauchen wir noch Eier?   ■ Nein, es sind noch .... da.

d ● Sind noch Brezeln da?   ■ Ja, aber nur noch .... und die ist für Julia.

e ● Soll ich Nudeln kaufen?   ■ Ja, denn wir haben .... mehr.

f ● Brauchen wir noch Brötchen?   ■ Nein, ich habe schon .... gekauft.

g ● Soll ich noch einen Orangensaft mitbringen?   ■ Ja bitte, wir haben .... mehr.

5 *Was für ... ?*
Ergänzen Sie, wo nötig.

a ● Mama, ich will *ein*........ Haustier haben. ■ Was für *ein*........ Haustier möchtest du? ● *Eine*...... Katze.

b ◆ Guten Tag, Sie wünschen? ▲ Ich suche .... Ball. ◆ Was für .... Ball möchten Sie?
▲ .... Fußball.

c ■ Kann ich .... Eis haben? ▼ Was für .... Eis? ■ .... Schokoladeneis, ist doch klar!

d ▲ Julian macht wieder Pläne. ◆ Was für .... Pläne? ▲ Reisepläne natürlich.

6 Ergänzen Sie die Adjektivendungen.

a ● Was ist denn mit deiner rot*en*......... Jacke passiert?

   ■ Sie ist in einen Eimer mit weiß............ Farbe gefallen und nun ist sie weiß.

b ▲ Und, wie gefällt dir dein neu............ Auto?

   ▼ Nicht besonders. Es hat unbequem............ Sitze, ein schlecht............ Radio und eine

     hässlich............ Farbe.

   ▲ Warum hast du es dir dann gekauft?

   ▼ Es hat nur 500 Euro gekostet. Bei dem niedrig............ Preis konnte ich nicht Nein sagen.

c ● Und hier haben wir noch ein schön............ Besteck mit groß............ und klein............ Löffeln

     für günstig............ 49 Euro.

   ■ Ich weiß nicht, ich habe eher an ein billig............, bunt............ Besteck aus Plastik gedacht.

d ● Schau mal, da drüben! Dieser alt............ Bauernschrank würde gut in unser Schlafzimmer passen!

   ■ Meinst du? Also, ich mag lieber modern............ Möbel.

7 Ergänzen Sie die Adjektivendungen.

a Verkaufe gebraucht*es*......... Auto, 3 Jahre alt, mit neu............ Reifen.

b Suche gut............, klein............ Zelt für 2 Personen.

c Günstig............ Ferienwohnungen im Allgäu für 2 bis 6 Personen. Alle Wohnungen in

   wunderschön............, ruhig............ Landschaft.

d Hotel in zentral............ Lage von Bielefeld, preiswert............ Wochenendangebote:

   zwei Übernachtungen zum Preis von einer. Gut............ Küche.

8 Was ist richtig? Kreuzen Sie an.

	e	er	es	en	
a Schau mal, da steht ein rot............		x			Sessel.
b Ich suche einen Computer mit einem flach............					Bildschirm.
c Ich glaube, wir haben hier ein groß............					Problem.
d Gehört dir das rot............					Fahrrad?
e Gestern kam ein interessant............					Film im Fernsehen.
f Schau mal, die hübsch............					Schuhe!
g Gibt es hier frisch............					Obst?
h Jetzt im Sonderangebot: neu............					Kartoffeln, das Kilo € 0,69!
i Ich glaube, ich nehme den rund............					Tisch hier.
j Mein klein............					Bruder ist erst drei!
k Ich kaufe nur gebraucht............					Autos.
l Ich kann mit dem neu............					Computer viel besser arbeiten.

9 So gut wie ... – besser als ... – am besten ...
Ergänzen Sie den Komparativ oder Superlativ.

a gut

● Du hast doch das Fußballspiel gestern gesehen. Welche Mannschaft war denn .... ?

■ Also, Real Hueber war viel .... Hueber United. Und der Spieler mit der Nummer 13 war ....

b gern

▲ Was isst du denn gern?

▼ Ich esse *gern* Pizza, aber noch .... esse ich Spaghetti und am .... Pommes Frites.

c schnell – billig

■ Wie komme ich .... in die Innenstadt? Ist es mit dem Taxi .... mit der U-Bahn?

◆ Mit der U-Bahn bist du genauso .... mit dem Taxi. Aber die U-Bahn ist viel ....

d warm – kalt

● Und wie ist das Wetter bei euch so?

▲ Heute ist es .... gestern. Aber morgen soll es wieder .... werden.

10 Ergänzen Sie: mich – dich – sich – uns – euch

a ■ Kinder, könnt ihr *euch* jetzt bitte ausziehen und ins Bett gehen?

● Wir haben .... doch schon ausgezogen. Schau, Mama!

b ▲ Ist das anstrengend! Ich brauche eine Pause.

● Gut, dann ruh .... jetzt ein bisschen aus.

c ▲ Kommst du mit ins Schwimmbad oder nicht?

■ Ich weiß noch nicht. Ich fühle .... heute nicht so wohl.

d ◆ Was ist denn los? Warum ist Andreas denn so sauer?

▲ Er hat .... gerade über seinen Vater geärgert.

11 Ergänzen Sie im Dativ.

a Gib die Schlüssel bitte *meinem Vater* .
(mein ● Vater)

b Schicken Sie .... bitte bald eine E-Mail.
(Ihr ● Chef)

c Warum schenkt ihr .... nicht einfach Blumen?
(euer ● Lehrerin)

d Er kann .... keinen neuen Computer kaufen.
(sein ● Sohn)

e Hast du die Kette .... zur Hochzeit geschenkt?
(dein ● Frau)

f Sagen Sie doch bitte .... viele Grüße von mir!
(Ihr ● Mutter)

12 **Im Hotel. Schreiben Sie Sätze.**

a ein Taxi ● der Gast ● bestellen
Könnten Sie bitte dem Gast ein Taxi bestellen?
Könnten Sie ihm ein Taxi bestellen?
Könnten Sie es ihm bestellen?

b das Zimmer 412 ● die Dame ● zeigen
Könnten Sie bitte ...

c der Hotelparkplatz ● der junge Mann ● zeigen

d der Koffer ● die Dame ● tragen

e die Rechnungen ● die Gäste ● geben

---

13 ***Sie ist angekommen ...***
Schreiben Sie.

Montag	Dienstag	Mittwoch	Donnerstag	Freitag	Samstag
ca. 10 Uhr Ankunft Beate: Bahnhof nachmittags Anruf: Kino → Kinokarten reservieren !!! abends Kinopalast: „Good Bye Lenin"	Museum: (Eintrittskarten am Schalter abholen Café Lisboa und Stadtbummel	Lebensmittel für Picknick einkaufen Theater am Einlass: „Frühlingserwachen"	!!! früh Finanzamt anrufen Schifffahrt Sonnensee: Abfahrt 10.45 Uhr, Ankunft Brodweil 11.30 Uhr, zurück: 16.25 Uhr	Auto bei Stefan abholen: Picknick am Brombacher Weiher	Beate → Hamburg; 13.30 Uhr Bahnhof

Am Montag um 10 Uhr ist Beate am Bahnhof angekommen. Wir haben erst mal viel geredet.
Wie schön, endlich ist sie da! Nachmittags habe ich ...

---

14 ***Ist etwas passiert?***
Ergänzen Sie *verpassen, passieren, telefonieren, erleben, beginnen, bekommen* in der richtigen Form.

a ● Hallo, Tim, wo warst du denn so lange? Ist etwas *passiert* ....?

▲ Tut mir leid, dass ich zu spät bin. Aber ich habe noch mit meiner Chefin ....

Und dann habe ich auch noch die S-Bahn ....

● Komm, wir müssen rein. Der Film hat schon ....

b ■ Du schau mal, ich habe einen Brief von Julia ....

▼ Und was hat sie geschrieben?

■ Na ja, sie hat auf ihrer Reise in Südamerika total viel .... Aber lies selbst!

---

15 ***Früher wollte Max ... Heute will Max ...***
Ergänzen Sie *können, müssen, wollen, haben, sein* in der richtigen Form.

Früher ...

a *wollte* .... er Fußballer werden.

b .... er viel Freizeit.

c .... er abends oft in Diskotheken.

d .... er lange Reisen machen.

e .... er nur Geld für sich selbst verdienen.

Heute ...

.... er Professor an einer Universität werden.

.... er nur noch wenig Freizeit.

.... er abends meist zu Hause.

.... er nur noch Kurzurlaube machen.

.... er das Geld für die ganze Familie verdienen.

16 Sie sollten ...
Schreiben Sie.

a Am Wochenende ist sehr viel Verkehr auf der Autobahn. Nehmen Sie den Zug.
Sie sollten den Zug nehmen.

b Augsburg ist eine schöne Stadt. Besuch sie mal.

c In zwei Wochen ist Stadtfest in Lamstein. Geht doch auch hin!

17 hätte – wäre – würde
Ergänzen Sie.

a Marion sitzt im Büro und arbeitet, aber sie ...*wäre*... lieber im Schwimmbad.
b Paul hat keinen Hund, aber er .... gern einen Hund.
c Leonie muss mit ihren Eltern wandern gehen, aber sie .... lieber Freunde treffen.
d Florian muss eine Bewerbung schreiben, aber er .... lieber auf dem Fußballplatz.
e Julian hat kein Handy, aber er .... gern eins.
f Marlene geht zu Fuß zu ihrer Oma, sie .... aber lieber mit dem Rad fahren.

18 Sie werden angerufen ... . Schreiben Sie Sätze im Passiv.

a ● Sagen Sie mir dann Bescheid, wenn das Auto fertig ist? (anrufen)
   ■ Ja, *Sie werden angerufen.*
b ● Und wie komme ich vom Flughafen zu Ihrer Firma? (abholen)
   ■ Das ist kein Problem. Sie ....
c ● Hier sieht es aber schlimm aus! (endlich die Wohnung aufräumen)
   ■ Du hast recht. Jetzt ....
d ● Wie macht man denn eine Kartoffelsuppe? (mit Kartoffeln, Milch und viel Liebe kochen)
   ■ Eine Kartoffelsuppe ....
e ● Und wer bekommt dann dieses Formular? (bei Frau Müh abgeben)
   ■ Formulare ....
f ● Was sind denn das für Container? (Müll trennen)
   ■ Hier ....

19 Schreiben Sie Sätze mit lassen.

reparieren ● machen ● wechseln ● ausstellen ● schneiden

a ● Chris, mein Fahrrad ist kaputt.
   ■ Oh je, wir müssen es *reparieren lassen.*
b ● Deine Haare sehen nicht gut aus! Du musst sie ....
c ▲ Wissen Sie, wo man hier Passbilder bekommt?
   ■ Gehen Sie zu Foto Schulz. Da können Sie welche ....
d ▲ Die Autoreifen sind schon sehr alt.
   ▼ Du solltest sie ....
e ◆ Ich habe meine EC-Karte verloren.
   ■ Sie können sich eine neue ....

20 *rein – raus – runter – rauf – rüber*
Ergänzen Sie.

a Toni, geh bitte schnell zur Nachbarin *rüber*............ und bitte sie um ein bisschen Zucker.

b Kinder, kommt bitte .... Es ist jetzt zu kalt draußen.

c Julian, bist du verrückt! Komm bitte sofort vom Baum .... ! Das ist doch gefährlich.

d Der Regen hat aufgehört. Komm, wir gehen .... und fahren ein bisschen Fahrrad.

e Kommt doch auch .... Von hier oben hat man einen wunderbaren Blick.

21 *Worüber...? – Darüber... .*
Ergänzen Sie.

a ■ Und *wofür*............... interessierst du dich?

◆ *Für*...................... Politik und Geschichte.

■ Schön, denn .... interessiere ich mich auch sehr.

b ● Sollen wir noch in eine Kneipe gehen? Oder .... hast du jetzt Lust?

▲ Ich hätte Lust .... ein........... Spaziergang.

● Nein, also .... habe ich jetzt keine Lust. Es ist viel zu kalt draußen.

c ▼ .... habt ihr denn noch so lange gesprochen?

▲ .... unser........... Arbeit.

d ◆ Und .... träumst du?

● .... ein........... Woche Urlaub ohne Telefon und E-Mails.

e ■ Was ist denn los? .... ärgerst du dich denn so?

▼ .... d........... Brief hier. Lies mal.

22 **Ergänzen Sie die Präposition und die Endungen.**
Im Urlaub will ich ...

a ... mich nicht mehr *über*........... mein........... Arbeit ärgern.

b ... nicht .... mein........... Chef denken.

c ... mich .... mein........... Freunden treffen.

d ... mich endlich mal wieder .... mein........... alten Schulfreunden verabreden.

e ... mich nicht .... d........... Haushalt kümmern.

23 **Ergänzen Sie.**

a ■ Sind deine Eltern denn mit d*einen*. Noten nicht zufrieden?

◆ Nein, überhaupt nicht.

b ● Kommst du mit uns zum Joggen?

▲ Nein danke. Ich habe heute keine Lust auf anstrengend........... Sport. Es ist viel zu heiß! Ich gehe lieber spazieren.

c ■ Sag mal, kennst du den Mann da vorn? Den mit der Jeans und dem schwarzen Pullover?

▼ Ja, ich kenne ihn, aber ich erinnere mich im Moment nicht an sein........... Namen.

d ■ Wo würdest du denn gerne wohnen?

◆ Ach, ich träume von ein........... Häuschen im Grünen.

e ▲ Kommen Sie mit zum Bus?

◆ Nein, ich warte hier noch auf mein........... Freundin.

24 *Wo? – Wohin?*
Ergänzen Sie die Präpositionen und Artikel.

a ■ Haben Sie meine Brille gesehen?

● Ja, sie liegt dort *auf dem* .... Tisch.

b ▲ Hast du meinen schwarzen Pullover gesehen? E... a
gelegen.

▼ Ja, ich habe ihn .... Schrank gel....

c ■ Wer hat denn dieses schreckliche Foto dort ......

◆ Ich. Ich finde es schön.

d ● Und wohin soll ich die Stehlampe stellen?

▲ Stell sie doch .... Bett und .... Schreibtisch. Da brauchst du sie
am meisten.

e ■ Wo ist denn die Katze?

◆ Schau mal in die Küche. Sie liegt dort am liebsten in der Ecke .... Teppich.

25 *Wo? – Wohin? – Woher?*
Ergänzen Sie die Präpositionen und Artikel.

a Im Urlaub waren wir ...

in den .... Alpen, ... Bodensee, ... Italien, ... Insel Mallorca, ...
Türkei, ... meinen Eltern, ... Land, ... Norden, ... Hause.

b Heute Abend gehe ich ...

.... Kino, ... meinem Freund, ... Restaurant, ... Hause.

c Sie kommt gerade ...

.... Arzt, ... Büro, ... Strand, ... ihrer Schwester, ...
Restaurant, ... Gebirge, ... Österreich.

26 *Wo ist ...? Wie komme ich ...?*
Ergänzen Sie: *gegenüber – an ... vorbei – durch – entlang – um ... herum – über – bis zu*

a ■ Entschuldigung. Wo ist denn das Stadttor-Kino bitte?

▲ Gehen Sie immer diese Straße *entlang* .... Am Ende sehen Sie den Bahnhofsplatz. Gehen Sie
.... den Bahnhofsplatz und dann gleich die nächste Straße links .... der
nächsten Kreuzung. Da sehen Sie dann schon das Kino.

b ■ Wenn du zum Supermarkt fährst, kommst du doch .... der Post .... Da
könntest du mir doch bitte Briefmarken mitbringen.

◆ Wo ist da eine Post?

■ In der Bergstraße, direkt .... dem großen Kino.

◆ Ach ja. Klar mach ich das. Wie viele brauchst du denn?

c ▼ Wenn ich zum Flughafen möchte, muss ich dann .... die ganze Stadt fahren?

▲ Nein, das dauert viel zu lange. Fahr lieber auf der Autobahn .... die Stadt ....
Das geht viel schneller.

27 *ohne – von ... an – über*
Wie können Sie noch sagen? Ergänzen Sie.

a Die Zugfahrt von Berlin nach München dauert mehr als fünf Stunden. → Sie dauert *über*.............. fünf Stunden.

b Ab 1.11. fahren keine Schiffe mehr auf dem Tegernsee. → .... 1.11. .... fahren keine Schiffe mehr.

c Er fährt nur mit seiner Familie in Urlaub. → Er fährt nie .... seine Familie in Urlaub.

d Wir waren drei bis vier Stunden unterwegs. → Wir waren .... drei Stunden unterwegs.

e Der neue Fahrplan gilt ab Januar. → .... Januar .... gilt der neue Fahrplan.

28 *weil, denn* oder *deshalb*?
Ergänzen Sie.

a ● Warum bist du gestern nicht gekommen? ■ *Weil*.............. ich krank war.

b Ich brauche eine Pause. .... mache ich einen kleinen Spaziergang.

c Ich bin zu spät gekommen, ... mein Bus hatte Verspätung.

d ◆ Warum weinst du? ▲ .... ich meine Puppe verloren habe.

e Ich kann mir kein Eis kaufen, ... ich habe kein Geld dabei.

f Ich habe leider kein Auto mehr. Ich komme .... mit der U-Bahn.

29 *deshalb – weil – trotzdem – wenn*
Kreuzen Sie an.

a Ich habe zu wenig geschlafen. *Deshalb*......... bin ich noch so müde.

b Ich muss jetzt ein Geschenk kaufen, ... meine Mutter Geburtstag hat.

c Kommen Sie zu mir, ... Sie eine Frage haben.

d Ich freue mich, ... du kommst.

e Ich bin sauer, ... du immer zu spät kommst.

f Ich habe eigentlich keine Zeit mehr. .... helfe ich dir noch schnell.

30 **Ergänzen Sie:** *wann – was – wo – wie viele – wie lange – warum*

a Kannst du mir sagen, *warum*.............. du nicht gekommen bist?

b Ich möchte wissen, ... das Konzert endlich beginnt!

c Wissen Sie, ... hier ein Geldautomat ist?

d Ich frage mich, ... die Fahrt noch dauert.

e Können Sie mir bitte sagen, ... ich hier eintragen muss?

f Es würde mich interessieren, ... Menschen in dieser Stadt wohnen.

31 *dass* oder *ob*?
Was ist richtig? Kreuzen Sie an.

a Ich glaube, ☒ dass ☐ ob es bald regnet.

b Ich habe gefragt, ☐ dass ☐ ob der Bus bald kommt.

c Kannst du mir sagen, ☐ dass ☐ ob wir noch genug Geld haben?

d Ich wünsche mir, ☐ dass ☐ ob du bald wiederkommst.

e Ich habe nicht gewusst, ☐ dass ☐ ob du schon 18 Jahre alt bist.

f Ich frage mich, ☐ dass ☐ ob sie den richtigen Weg findet.

	Teil		Punkte	Gewicht	Minuten
Hören	1	Nachrichten/Ansagen auf dem Anrufbeantworter	5	25%	circa 15
	2	Radioinformationen	5		
	3	Längeres Gespräch	5		
Lesen	1	Inhaltsverzeichnisse, Listen, ...	5	25%	20
	2	Zeitungsartikel	5		
	3	Anzeigen	5		
Schreiben	1	Formular	5	25%	30
	2	Mitteilung, Einladung, ...	10		
Sprechen	1	Vorstellen	3	25%	circa 15
	2	Fragen und Antworten	6		
	3	Problemlösung	6		

Sie müssen 60% der Punkte erreichen. Dann haben Sie die Prüfung bestanden.

• •

Hören – Teil 1

Die Prüfung *Hören* hat drei Teile. In *Teil 1* hören Sie fünf kurze Nachrichten oder Ansagen auf dem Anrufbeantworter. Sie hören jede Mitteilung zweimal. Zu jedem Hörtext notieren Sie eine Information auf einem Notizzettel.
Arbeitszeit: etwa 5 Minuten

Tipp **Vor dem Hören**

- Lesen Sie die Notizzettel. Dafür haben Sie vor dem Hören ein paar Sekunden Zeit.
- Welche Information sollen Sie im Beispiel (0) und in den Aufgaben 1 bis 5 ergänzen? Ordnen Sie zu.

	Aufgabe(n)
– eine Telefonnummer:	3
– einen Ort, z.B. einen Straßennamen:	.... , ...
– einen Termin, d.h. eine Uhrzeit, einen Wochentag oder einen Monat:	.... , ...
– etwas anderes:	....

Tipp **Hören und Lösen**

- Notieren Sie bei jeder Aufgabe nach dem **ersten** Hören ein Wort, einen Namen oder eine Zahl. Sehen Sie dazu das Beispiel an: Was Sie schreiben sollen, ist sehr kurz.
- Kontrollieren Sie beim **zweiten** Hören, ob Sie richtig gehört haben. Korrigieren Sie, wenn nötig. Es ist hier nicht so wichtig, dass Sie ein Wort richtig schreiben.

29-34

Sie hören fünf Ansagen am Telefon. Zu jedem Text gibt es eine Aufgabe.
Ergänzen Sie die Telefon-Notizen. Sie hören jeden Text zweimal.

Beispiel

0 *Reisebüro*
Berlin → Hamburg
Abflug: ....9.15...................
Preis: 92 €

1
Herr Kaufmann, Firma Digitech
Papiere vergessen
Schicken an:
.......................straße 17
71224 Stuttgart

2
Sprachenschule Lingua Franca
Kurs: Deutsch für den Beruf
Gebühr: ....

3
Jens zurückrufen
unter ....

4
Jutta
Heute Abend, 22.30 Uhr
Treffen im .... Iwan

5
Hotel Leopold
Praktikum möglich
von März bis ....

Hören – Teil 2

Sie hören in *Teil 2* fünf kurze Radioinformationen. Es geht dabei zum Beispiel um das Wetter, Verkehrsnachrichten oder Hinweise zu Veranstaltungen. Zu jeder Information gibt es eine Aufgabe. In diesem Teil hören Sie die Texte nur einmal.
Arbeitszeit: etwa 5 Minuten

Tipp **Vor dem Hören**

● Nutzen Sie die Lese-Zeit vor jeder Aufgabe.
● Lesen Sie nur die Fragen zu den Aufgaben. Worum geht es im Beispiel (0) und in den Aufgaben (6 – 10)? Ordnen Sie zu.

	Aufgabe
– eine Uhrzeit:	...*0*...
– das Wetter:	....
– ein Spiel:	....
– eine Information zu einer Radiosendung:	....
– eine Veranstaltung oder einen Ort:	....
– eine Verkehrsinformation:	....

Tipp **Hören und Lösen**

In der Aufgabe stehen meistens andere Wörter als im Hörtext. Hören und lesen Sie dazu das Beispiel: Im Hörtext heißt es „achtzehn Uhr", in der richtigen Antwort |a| heißt es „sechs Uhr am Abend". In Antwort |b| und |c| lesen Sie Wörter aus dem Hörtext (*acht*, *zwei*), aber die Information ist trotzdem falsch.

CD3 35-40

Sie hören fünf Informationen aus dem Radio. Zu jedem Text gibt es eine Aufgabe. Kreuzen Sie an: |a|**,** |b| **oder** |c|**. Sie hören jeden Text einmal.**

Beispiel

0   **Wie spät ist es gleich?**

|a| Sechs Uhr am Abend. |b| Acht Uhr am Abend. |c| Zwei Uhr achtzehn.

6   **Wie ist das Wetter heute?**

|a| Es ist wärmer als am Wochenende. |b| Es ist für die Jahreszeit sehr warm. |c| Es ist nicht warm.

7   **Was können Radiohörer bei der Sendung um 12 Uhr tun?**

|a| Anrufen und mit Schülern sprechen. |b| Etwas zum Thema „Schule" sagen. |c| Nachrichten hören.

8   **Welchen Rat bekommen die Autofahrer?**

|a| Sie sollen ihr Auto zu Hause lassen. |b| Sie sollen mit dem Auto in die Innenstadt fahren. |c| Sie sollen öffentliche Verkehrsmittel benutzen.

9   **Für wen ist dieser Club?**

|a| Für 30 Männer und Frauen. |b| Für Leute ab 30 Jahre. |c| Für Leute mit Führerschein.

10   **Was kann man gewinnen?**

|a| Einen von drei Videofilmen. |b| Eintrittskarten für einen Film. |c| Eine CD mit Filmmusik.

Hören – Teil 3

In *Teil 3* hören Sie ein längeres Gespräch. Zu dem Gespräch lösen Sie fünf Aufgaben auf einmal, d.h. es gibt keine Pausen zwischen den fünf Aufgaben. Sie hören den Text zweimal.
Arbeitszeit: etwa 5 Minuten

Tipp

Vor dem Hören

Lesen Sie vor dem Hören die Aufgaben. Das Thema des Gesprächs heißt: *Wer sitzt wo?*
Überlegen Sie: Was ist das Thema von dem Gespräch?

Tipp

Prüfungsvorbereitung

Wiederholen Sie für diese Aufgaben wichtige Wörter. Dazu gehören:
- Zahlen: *1 bis 1 Milliarde*, Ordinalzahlen, z.B. *im zweiten Stock*
- Maße, z.B. *1 Meter, 1 Grad*
- Ortsangaben, also Antworten auf die Fragen *Wo?, Woher?, Wohin?*
- Himmelsrichtungen, z.B. *Norden*
- Zeitangaben, also Antworten auf die Fragen *Wann?, Wie lange?, Wie oft?* sowie Datum, Uhrzeit, Wochentage, Tageszeiten, Monatsnamen, Jahreszeiten, Feiertage, z.B. *Ostern*

Tipp

Hören und Lösen

- Im Beispiel (0) und in den Aufgaben (11 – 15) hört man etwas über sechs Personen. Sie sollen diesen Personen die Informationen (a – i) aus dem Gespräch zuordnen. Sie brauchen für die Lösungen aber nur insgesamt sechs Informationen. Drei Lösungen in den Stichworten a – i sind also zu viel.
- Notieren Sie während oder nach dem **ersten** Hören bei jeder Aufgabe einen Buchstaben in die passenden Kästchen.
- Kontrollieren Sie beim **zweiten** Hören Ihre Lösungen. Korrigieren Sie, wenn nötig.

41-42

Sie hören ein Gespräch. Zu diesem Gespräch gibt es fünf Aufgaben.
Wer sitzt wo?
Ordnen Sie zu und notieren Sie den Buchstaben.
Sie hören den Text zweimal.

Beispiel

0 Chef   a Im zweiten Stock.

Aufgabe	0	11	12	13	14	15
Person	Chef	Anwalt	Sekretärin	Praktikant	Chefin Export	Programmierer
Lösung	*a*					

a Im zweiten Stock.
b Neben der Teeküche.
c Neben dem Konferenzzimmer.
d Zwischen dem Chefbüro und dem Zimmer vom Anwalt.
e Am Empfang.

f Neben dem Chefbüro.
g Neben dem Aufzug.
h Im ersten Stock.
i Im Computerraum.

Tipp

Nach dem Hören

Am Ende der Prüfung *Hören* übertragen Sie Ihre Lösungen auf den Antwortbogen. Sie haben dafür drei Minuten Zeit. Schreiben Sie bei jeder Nummer eine Antwort. Haben Sie einen Text oder eine Aufgabe nicht richtig verstanden? Antworten Sie trotzdem. Vielleicht ist Ihre Lösung ja richtig.

Lesen – Teil 1

Die Prüfung *Lesen* hat drei Teile. In *Teil 1* bekommen Sie kurze Informationstexte wie zum Beispiel Informationstafeln im Kaufhaus, Inhaltsverzeichnisse in Katalogen, in Büchern oder im Internet. In diesen Texten sollen Sie nach bestimmten Informationen suchen.
Arbeitszeit: etwa 5 Minuten

Tipp **Lesen und Lösen**

- Markieren Sie zuerst in den Aufgaben die wichtigen Wörter, z.B. günstige Pension.
- Suchen Sie dann im Text, welche Rubrik passt. Achtung: Im Text stehen meistens andere Wörter als in der Aufgabe. Beispiel: *Pension* (Aufgabe) – *Hotels* (Text).

Sie sind zu Besuch in München und haben sich einen Reiseführer gekauft. Lesen Sie die Aufgaben 1 – 5 und das Inhaltsverzeichnis des Reiseführers. Auf welcher Seite finden Sie, was Sie suchen? Kreuzen Sie an: a, b oder c.

Beispiel

0   Sie suchen eine günstige Pension.

    a ab Seite 47   **b** ab Seite 128   **☒** andere Seite

1   Sie möchten eine Stadtrundfahrt machen.

    a ab Seite 63   **b** ab Seite 84   **c** andere Seite

2   Sie suchen eine Ausstellung über moderne Kunst.

    a ab Seite 63   **b** ab Seite 102   **c** andere Seite

3   Sie möchten Ihren Freunden typische Spezialitäten, z.B. Würste, mitbringen.

    a ab Seite 47   **b** ab Seite 57   **c** andere Seite

4   Sie möchten wissen, wie viele Einwohner München hat.

    a ab Seite 5   **b** ab Seite 128   **c** andere Seite

5   Sie möchten einen Ausflug in die Umgebung machen. Sie wissen aber nicht, wo es schön ist.

    a ab Seite 63   **b** ab Seite 102   **c** andere Seite

Lesen – Teil 2

In *Teil 2* lesen Sie einen kurzen Zeitungstext über eine Person und andere Nachrichten.
Sie sollen diesen Text genau lesen und zeigen, dass Sie alle Informationen richtig verstehen.
Arbeitszeit: etwa 5 Minuten

Tipp   **Lesen und Lösen**

- Lesen Sie zuerst die Aufgaben und dann erst den Text. Dann wissen Sie, was Sie im Text suchen.
- Manche Sätze im Text brauchen Sie nicht für die Aufgabe. Außerdem: Was Sie für die Aufgabe brauchen, steht manchmal an mehr als einer Stelle im Text.
- Sehen Sie sich den Text genau an. Wo finden Sie im Text zum Beispiel die Sätze für Aufgabe 6? Markieren Sie.

Lesen Sie den Text und die Aufgaben 6 – 10.
Sind die Aussagen Richtig **oder** Falsch **? Kreuzen Sie an.**

Beispiel

		Richtig	Falsch
0	Frau Beinlein ist Hauptschullehrerin.	☒	Falsch
6	Sie hat drei Kinder.	Richtig	Falsch
7	Sie hat mit Mitte 20 ein Studium begonnen.	Richtig	Falsch
8	Fünfeinhalb Jahre hat sie für ihr zweites Studium gebraucht.	Richtig	Falsch
9	Das Studium war manchmal schwierig, weil die Mitstudenten viel jünger waren.	Richtig	Falsch
10	Das zweite Studium war nicht leicht, weil sie auch noch unterrichten musste.	Richtig	Falsch

Das zweite Studentenleben der Beate Beinlein

Die Frankfurter Grundschullehrerin stürzt sich mit 50 Jahren wieder ins Studentenleben und wird Frau Dr. Beinlein

Die Doktorarbeit ist fast fertig, nur noch wenige Seiten fehlen – und da stürzt der PC ab, alle Dateien sind weg! Das passiert Beate Beinlein wenige Tage vor Abgabe der Doktorarbeit. Doch der Sohn kann die Dateien schließlich retten, während die Tochter die verzweifelte Mutter beruhigt. So hat es sogar Vorteile, dass Frau Beinlein bei ihrer Promotion schon erwachsene Kinder hat.

Die Frankfurter Grundschullehrerin wollte eigentlich schon mit Mitte 20 promovieren, aber dazu ist es nicht gekommen: Erst ist sie mit ihrem Mann für ein paar Jahre in die USA gegangen, danach hat sie die beiden Kinder bekommen. Und so hat Beate Beinlein eben als Lehrerin gearbeitet und sich um Haushalt und Familie gekümmert.

Doch die Promotion ist für sie immer ein Ziel geblieben. Und mit 50 Jahren studiert sie probeweise ein Semester als Gaststudentin an der Universität. Zuerst macht sie sich Sorgen: „Kann ich überhaupt noch etwas lernen? Bin ich nicht zu alt?" Aber dann merkt sie, dass sie alles gut schafft und beginnt ein zweites Studium. Das macht ihr sogar noch mehr Spaß als ihr erstes. „Ich habe mich auf jeden einzelnen Termin an der Uni gefreut!" Auch ihr Kontakt zu den viel jüngeren Mitstudenten ist sehr gut. Diese sind begeistert von ihren praktischen Erfahrungen.

Nach fünfeinhalb Jahren schließt sie die Promotion ab. Für ihre Doktorarbeit hat sie 40 Grundschullehrerinnen bei ihrer Arbeit begleitet und eine empirische Studie gemacht. „Das war eine harte und anstrengende Zeit. Ich habe ja nebenbei auch noch selbst als Lehrerin gearbeitet. Aber es hat sich gelohnt: Ich habe in Theorie und Praxis mit der Note 1 abgeschnitten! Ich war wie auf Wolken!"

Ihren Abschluss feiert Beate Beinlein mit einer großen Party. Und ist sehr stolz, als die Gäste sie mit „Frau Dr. Beinlein" begrüßen.

Lesen – Teil 3

In *Teil 3* lesen Sie acht Anzeigen aus Zeitungen, Zeitschriften oder dem Internet. Zu diesen Anzeigen gibt es fünf Aufgaben. Es passt immer nur eine Anzeige zu einer Aufgabe.
Arbeitszeit: etwa 10 Minuten

Tipp **Lesen und Lösen**

- Lesen Sie zuerst die Aufgaben. Markieren Sie die wichtigen Wörter. Suchen Sie dann die Anzeigen mit diesen Themen.
- Bearbeiten Sie zuerst die für Sie einfachen Aufgaben und dann die schweren.
- Achtung: Für eine Aufgabe gibt es keine Lösung!

Beispiel

0 Ihre Freundin studiert Medizin. Sie sucht während der Semesterferien einen Praktikumsplatz in einer sozialen Organisation.

11 Sie möchten im Sommer gern eine Rundreise durch Deutschland machen und suchen Angebote und Reiseveranstalter.

12 Eine Freundin will für ein Jahr als Au-pair-Mädchen in der Schweiz arbeiten. Sie sucht Informationen über die Bestimmungen.

13 Eine Freundin macht nächsten Monat einen Deutschkurs in Berlin. Der Kurs findet immer vormittags statt. Sie würde nachmittags gern stundenweise arbeiten.

14 Ein englischsprachiger Freund hat eine neue Freundin in Wien. Er spricht kaum Deutsch, möchte aber trotzdem gern ein Praktikum in Wien machen.

15 Ein Freund hat gerade sein Studium als Sportlehrer beendet. Er würde in diesem Beruf gern für einige Monate in Deutschland arbeiten – am liebsten an der Küste.

Situation	0	11	12	13	14	15
Anzeige	e					

a www.billigerweg-indiewelt.info

Reisen so günstig wie noch nie. Pauschalreisen zu kleinen Preisen zu den schönsten Stränden und Städten der Welt.

Buchen Sie gleich online – sicher und bequem.

b www.agentur-brinkbäumer-berlin.de

Die Jobvermittlung Nr. 1 der Bundeshauptstadt! !!!Aktuell!!! Tiersitter für 2 x 3 Stunden pro Woche in Neukölln gesucht!
Sie entscheiden, wie viel und wann Sie arbeiten möchten, ob stunden-, tage- oder wochenweise. Wir finden für Sie den passenden Job, als Babysitter, Tiersitter oder Nachhilfelehrer. Auch Au-pair-Vermittlung möglich!

c www.club-nordsee.de/jobs

Herzlich Willkommen im Nordsee-Club Sankt Peter Ording an der schleswig-holsteinischen Nordsee. Arbeiten, wo andere ihren Urlaub verbringen.
Für die kommende Sommersaison suchen wir noch engagierte Mitarbeiter in der Bereichen Gastronomie, Kinderbetreuung, Sport und Entertainment.
Spannende Aufgaben in einem jungen, internationalen Team warten auf Sie.
Wenn Sie entsprechende Erfahrungen mitbringen, bewerben Sie sich gleich hier online.

d www.sprachreise.net

Französisch lernen in Paris?
Englisch lernen in London?
Spanisch in Madrid?
Deutsch in Wien?

Wir haben das passende Angebot für Sie!

Günstige Preise für Frühbucher.
Beginn jederzeit möglich.

e www.tatendurst-agentur.info

Helfen Sie mit!
Wir beraten und informieren über diverse
Einsatzmöglichkeiten für unbezahlte Praktika
und freiwillige soziale Mitarbeit in mehr als
dreihundert Institutionen, Organisationen und
Verbänden wie Seniorentreffs, Kinderzentren,
Krankenhäusern, Nachbarschaftshilfen oder
Behinderteneinrichtungen.
Medizinische oder sozialpädagogische
Kenntnisse sind Voraussetzung.

f www.deutschland-info.info
Kennen Sie Deutschland?
Entdecken Sie uns!
Wir helfen Ihnen bei Ihrer Deutschland-
Expedition: Ob Sie eine Urlaubs- oder
Geschäftsreise planen, sich über die Bundes-
länder, die Städte oder unsere Nationalparks
informieren möchten oder ob Sie bewährte
und erfahrene Reise-Spezialisten suchen –
bei uns sind Sie richtig.

g www.gastfamilien.net

Online-Forum für Gastfamilien weltweit.

Suche Au-pair
Suche Gastfamilie

Und hier finden Sie kostenlose
Informationen zu Visabestimmungen,
Taschengeld und Au-pair-Verträgen.

h www.erlebnisküste.de

Ihr Reisespezialist für den Urlaub im hohen Norden von Deutschland.
Lassen Sie sich begeistern von der traumhaften Schönheit von Deutschlands Stränden.
Wir vermitteln Ihnen Unterkünfte, Cluburlaube und zahlreiche sportliche Aktivitäten –
vom Segeln, über Tauchen und Wasserski bis zum Windsurfing!
Auf Wunsch finden wir für Sie auch den passenden Sportlehrer!

Schreiben – Teil 1

Die Prüfung *Schreiben* hat zwei Teile. In *Teil 1* sollen Sie ein Formular für eine andere Person
ausfüllen, zum Beispiel die Anmeldung in einem Verein, und fehlende Informationen ergänzen, wie
zum Beispiel das Geburtsdatum, Hobbys oder die Anschrift. Die Informationen bekommen
Sie aus den kurzen Texten über die betreffende Person.
Arbeitszeit: 10 Minuten

Tipp

Vor dem Schreiben

Sehen Sie sich zuerst das Formular an. Einige Informationen sind schon eingetragen, z.B. der
Familienname der Person: *van de Werff*. Suchen Sie: Welche fünf Informationen fehlen noch?
z.B. *Wohnort*. Lesen Sie jetzt die Sätze zur Person über dem Formular. Markieren Sie dort diese
Informationen.

Tipp

Lösen der Aufgaben

Im Formular sollen Sie nicht immer nur Wörter ergänzen. Manchmal kreuzen Sie auch etwas an,
z.B. bei Nr. 2 *männlich*. Oder Sie schreiben eine Zahl: In unserem Beispiel steht bei Nr. 10 die
Dauer für das Praktikum – 12 Wochen – als Zahl und Wort schon da.

Henk ist Holländer. Er möchte in Deutschland drei Monate lang ein Praktikum machen. Die Firma soll in der Nähe seiner deutschen Freundin sein. Er hat in den Monaten Juni bis August Zeit. Bei Prakti-Such.net will er sich anmelden. Ergänzen Sie das Formular.

Studentenausweis

Name: **van de Werff**
Vorname: Henk
geboren am: 24.12.1986
in: Rotterdam
wohnhaft in: Herengracht 470,
NL-1017 CA Amsterdam

weitere Informationen über Henk

● Abitur: 2005 in Arnhem
● Studium: Elektrotechnik im 3. Studienjahr
● Berufswunsch: etwas im Bereich Radio-/Fernsehtechnik
● Interessen: Klavier spielen, Film, Snowboard
● befreundet mit: Uschi, Bankkauffrau aus Frankfurt (Hessen)
● E-Mail: hvdwerff@wanadoo.nl

Willkommen im Prakti-Such.net
Heute gibt es 136 verfügbare Plätze und 131 Bewerber.
Tragen Sie hier Ihre Personendaten ein:

1. Familienname: van de Werff   (0)
2. Vorname: Henk
3. Wohnort: (1)
4. Telefon: ++31 20 456286
5. E-Mail: hvdwerff@wanadoo.nl
6. Geburtsdatum: (2)
7. Nationalität: niederländisch
8. Geschlecht: ☐ männlich   ☐ weiblich   (3)
9. Anfangszeitpunkt: frühestens   (4)
10. gewünschte Praktikumsdauer: 12 Wochen
11. Berufszweig: Radio- und Fernsehtechnik
12. Schulabschluss: Abitur
13. Studienfächer: Elektrotechnik
14. gewünschtes Bundesland: (5)

Schreiben – Teil 2

In *Teil 2* schreiben Sie einen Brief, ein Fax, eine Karte oder eine E-Mail. In der Aufgabe steht, warum Sie schreiben: Sie können z.B. nicht zu einem Termin kommen. In der Aufgabe finden Sie auch drei Punkte. Sie sollen zu jedem Punkt etwas schreiben. Ihr Text soll mindestens 40 Wörter lang sein.
Arbeitszeit: 20 Minuten

Tipp   **Vor dem Schreiben**

An wen schreiben Sie? Wie sprechen Sie die Person an: formell oder informell?
Wählen Sie die passende Anrede und den Gruß.

	Anrede	**Gruß**
formell	Sehr geehrter Herr ... Sehr geehrte Frau ... Sehr geehrte Damen und Herren ...	Mit freundlichen Grüßen
informell	Lieber ... Liebe ...	Herzliche Grüße Viele Grüße Liebe Grüße

---

Marco, ein deutscher Freund, möchte Sie in den Sommerferien in Ihrer Heimat besuchen. Er schreibt Ihnen:

Ich freue mich schon riesig auf unser Wiedersehen und darauf, dass ich Deine Familie kennenlernen kann. Bis zu den Ferien ist es ja nicht mehr lang. So langsam muss ich meine Sachen packen. Gibst Du mir ein paar Tipps? Was für Kleidung soll ich zum Beispiel einpacken?

Antworten Sie ihm. Sagen Sie:
- Was Sie zusammen unternehmen wollen.
- Wie das Wetter wahrscheinlich wird.
- Was für Kleidung er mitbringen soll.

Tipp

Nach dem Schreiben
- Haben Sie Anrede und Gruß nicht vergessen?
- Ihren Absender brauchen Sie nicht.
- Haben Sie schwierige Wörter richtig geschrieben?
- Haben Sie sauber geschrieben? Kann die Prüferin / der Prüfer den Text lesen?

Sprechen

Die mündliche Prüfung hat drei Teile. Sie sprechen mit einem anderen Teilnehmenden und zwei Prüferinnen/Prüfern.
Der Test dauert etwa 15 Minuten.

Sprechen – Teil 1

In *Teil 1* sollen Sie sagen, wer Sie sind. Sie stellen sich vor. Sagen Sie möglichst viel über sich. Die folgenden Wörter sollen Ihnen helfen:

Name?	Wie heißen Sie? (wenn Sie die anderen Personen nicht kennen)
Alter?	Wie alt sind Sie?
Land?	Woher kommen Sie?
Wohnort?	Wo wohnen Sie? (Stadt, Stadtteil)
Sprachen?	Welche Fremdsprachen sprechen Sie?
Schule?	Welche Schule besuchen Sie?
Beruf?	Was sind Sie von Beruf?
Studium?	Was studieren Sie?
Hobby?	Was ist Ihr Hobby?

Nach der Vorstellung stellt die Prüferin / der Prüfer mehrere Fragen zu dem, was Sie gesagt haben. Sie/Er fragt zum Beispiel nach Ihrer Ausbildung oder Ihren Plänen für später.

Übung vor der Prüfung

● Überlegen Sie: Zu welchen Stichworten möchten Sie etwas sagen, zu welchen nicht? Sie müssen nicht zu jedem Stichwort etwas sagen, zum Beispiel müssen Sie nichts zu Ihrem Alter sagen.
● Schreiben Sie jeweils mindestens einen Satz zu diesen Stichworten auf ein Blatt.
  Beispiel:
  Mein Name ist Chiara. Ich bin in Siena geboren, aber ich lebe schon seit zwei Jahren in Rom. Ich spreche Italienisch, Englisch, Spanisch und ein bisschen Deutsch. Von Beruf bin ich Computerspezialistin. Ich habe in verschiedenen Firmen gearbeitet. Im Moment arbeite ich nicht. Meine Hobbys sind Lesen und Reiten.
● Korrigieren Sie die Sätze mit der Kursleiterin / dem Kursleiter.
● Legen Sie dann das Blatt weg und sprechen Sie Ihre Sätze frei.
● Üben Sie das Gespräch auch zu zweit. Ihre Partnerin / Ihr Partner stellt Fragen zu dem, was Sie gesagt haben.

  Beispiele:
  Wo / In welchen Ländern haben Sie gearbeitet? Was lesen Sie gern?

Sprechen – Teil 2

In *Teil 2* unterhalten Sie sich über zwei Themen aus dem Alltag, zum Beispiel über das Thema „Arbeit". Sie sollen Ihrer Partnerin / Ihrem Partner Fragen stellen und auf ihre/seine Fragen antworten. Sie und Ihre Partnerin / Ihr Partner wählen dafür zu jedem Thema je drei von insgesamt sechs Karten aus, die auf dem Tisch liegen.

Die Prüferin / Der Prüfer sagt:

> Wir unterhalten uns über das Thema „Arbeit". Bitte ziehen Sie drei Karten. Ich habe auch eine Karte. Zum Beispiel diese hier:
> Hier frage ich zum Beispiel: *Wo arbeiten Sie?*
> Oder: *Wo möchten Sie arbeiten?*
>
> | Thema: Arbeit |
> | Wo ...? |
>
> Die Antwort ist zum Beispiel: *In einer deutschen Firma in Lissabon.*
> Danach fragt die Partnerin / der Partner.

Thema: Arbeit	Thema: Arbeit	Thema: Arbeit
Wo...?	Wie lange ...?	Wann ...?
Thema: Arbeit	**Thema: Arbeit**	**Thema: Arbeit**
Bis wann ...?	Seit wann ...?	Haben Sie ...?

Übungen vor der Prüfung

● Überlegen Sie: Welche Fragen können Sie hier stellen?
  Schreiben Sie zu jedem Kärtchen einen Fragesatz zum Thema „Arbeit".
  Schreiben Sie auch eine passende Antwort.
  Korrigieren Sie die Sätze mit der Kursleiterin / dem Kursleiter.
  Legen Sie dann das Blatt weg und sprechen Sie Ihre Sätze frei.
● Überlegen Sie jetzt Fragen zu anderen Themen aus dem Alltag, zum Beispiel: Wohnen, Essen und Trinken, Geld, Freizeit, Schule und Ausbildung, Einkaufen oder Reisen.
● Üben Sie mehrere Gespräche auch zu zweit.

Sprechen – Teil 3

In *Teil 3* sollen Sie ein freies, offenes Gespräch führen. Sie und Ihre Partnerin / Ihr Partner sollen so viel wie möglich sprechen. Jede/r bekommt dazu ein Aufgabenblatt.

Die Prüferin / Der Prüfer sagt:

> Sie wollen zusammen ein großes Fest mit etwa 40 Personen feiern. Überlegen Sie, wo Sie dieses Fest feiern können. Hier hat jeder von Ihnen ein Blatt mit Vorschlägen. Sprechen Sie über diese Vorschläge und finden Sie eine Lösung.

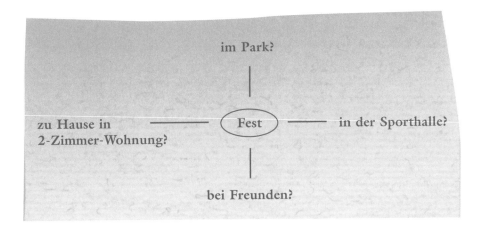

Tipp

Übungen vor der Prüfung

- Schreiben Sie zu jedem Stichwort einen Vorschlag auf ein Blatt. Schreiben Sie auch, warum Sie diesen Vorschlag gut finden.

  Beispiel:

  A: Wir könnten in der Sporthalle feiern.
  B: Ist es denn schön dort?
  A: Na ja, die Sporthalle ist nicht sehr schön, aber dort ist genug Platz für alle.
  B: Dürfen wir denn da feiern?
  A: Die Familie Huber hat da letzten Samstag auch eine Party gemacht.
  B: Aha. Wenn das geht.
  A: Ich kenne den Direktor. Ich kann fragen.
  B: Ja, aber wir könnten auch in den Park gehen. Da ist es viel schöner.

- Spielen Sie Ihr Gespräch zu zweit.
- Wiederholen Sie im Buch die Seiten 12, 15, 54 und 55: Wie machen Sie auf Deutsch Vorschläge?

Tipp

Während der Prüfung

Verstehen Sie etwas nicht, was Ihre Partnerin / Ihr Partner sagt, dann bitten Sie einfach um Hilfe.
Sagen Sie zum Beispiel: *Was ist das, bitte – Sporthalle? Ich verstehe das Wort nicht.*
Oder: *Können Sie das bitte wiederholen?*
Oder: *Kannst du das bitte erklären?*

Grammatikübersicht

1 Nomen und Artikel

1.1 Genitiv bei Namen

Julias Mutter = die Mutter von Julia

1.2 Dativ als Objekt

Possessivartikel und unbestimmter Artikel

Singular	maskulin	Ich habe	mein**em**	Vater	ein Bild geschenkt.
	neutral		mein**em**	Enkelkind	
	feminin		mein**er**	Oma	
Plural			mein**en**	Eltern	

auch so: dein-, sein-, ihr-, unser-, euer-;
ein-, kein-

1.3 Pronomen

Indefinitpronomen und Possessivpronomen

		Nominativ		Akkusativ		Dativ	
Singular	maskulin	Hier ist	einer.	Ich habe	einen bekommen.	mit	einem
	neutral		eins.		eins		einem
	feminin		eine.		eine		einer
Plural		Hier sind	welche.		welche		welchen

auch so: kein- ⚠ Plural: keine – keine – keinen
mein-, dein-, … ⚠ Plural: meine – meine – meinen

1.4 Frageartikel: *Was für ein …?*

		Nominativ		Akkusativ		Dativ		
Singular	maskulin	Was für	ein	Was für	einen	Mit was für	einem	Beruf
	neutral		ein		ein		einem	Buch
	feminin		eine		eine		einer	Freundin
Plural			–		–		–	Plänen?

2 Verben

2.1 Konjugation: *lassen*

	lassen
ich	lasse
du	lässt
er/es/sie	lässt
wir	lassen
ihr	lasst
sie/Sie	lassen

2.2 Reflexive Verben

	sich bewegen	
ich	bewege	mich
du	bewegst	dich
er/es/sie	bewegt	sich
wir	bewegen	uns
ihr	bewegt	euch
sie/Sie	bewegen	sich

Du bewegst dich zu wenig.

auch so: sich anziehen, sich ärgern, sich ausruhen, sich duschen, sich ernähren, sich fühlen, sich interessieren, sich konzentrieren, sich legen, sich setzen, ...

2.3 Verben mit Präpositionen

mit Akkusativ

	maskulin	neutral	feminin	Plural
warten auf	den Mann	das Kind	die Frau	die Leute

auch so: denken an, sich interessieren für, sich kümmern um, ...

mit Dativ

	maskulin	neutral	feminin	Plural
sprechen mit	dem Mann	dem Kind	der Frau	den Leuten

auch so: träumen von, sich treffen mit, ...

2.4 Perfekt

2.4.1 Perfekt: trennbare Verben

ab holen	Sie hat ihren Freund abgeholt.
auf stehen	Maria ist um drei Uhr aufgestanden.

2.4.2 Perfekt: nicht-trennbare Verben

bekommen	Karin hat die Postkarte bekommen.
verstehen	Die Polizei hat nichts verstanden.

auch so: emp-, ent-, ge-, zer-

2.4.3 Perfekt: Verben auf *-ieren*

passieren	Was ist passiert?
diskutieren	Wir haben lang diskutiert.

2.5 Präteritum

2.5.1 Modalverben

	müssen	können	wollen	dürfen	sollen
ich	musste	konnte	wollte	durfte	sollte
du	musstest	konntest	wolltest	durftest	solltest
er/es/sie	musste	konnte	wollte	durfte	sollte
wir	mussten	konnten	wollten	durften	sollten
ihr	musstet	konntet	wolltet	durftet	solltet
sie/Sie	mussten	konnten	wollten	durften	sollten

2.5.2 Präteritum: weitere Verben

	sagen	kommen
ich/er/es/sie	sagte	kam

2.6 Konjunktiv II

2.6.1 Konjunktiv II: Konjugation

ich	wäre	hätte	würde	könnte	sollte
du	wär(e)st	hättest	würdest	könntest	solltest
er/es/sie	wäre	hätte	würde	könnte	sollte
wir	wären	hätten	würden	könnten	sollten
ihr	wär(e)t	hättet	würdet	könntet	solltet
sie/Sie	wären	hätten	würden	könnten	sollten

2.6.2 Konjunktiv II: Bedeutung

Wunsch

Ich	wäre	gern gut in Mathe.
Sie	hätte	gern ein Klavier.
Wir	würden	gern etwas unternehmen.

Vorschlag

Du	könntest	einen Ausflug machen.
Wir	könnten	

Ratschlag

Sie	sollten	pünktlich kommen.

2.7 Passiv: Präsens

		werden		Partizip
Singular	er/es/sie	wird	...	benutzt
Plural	sie	werden	...	geschrieben

Die Adresse	wird	hier	reingeschrieben.	= **Man** schreibt die Adresse hier rein.
Die Formulare	werden		benutzt.	= **Man** benutzt die Formulare.

2.8 Verben mit Wechselpräpositionen

Wo? + Dativ	Wohin? + Akkusativ
stehen	stellen
hängen	hängen
liegen	legen
stecken	stecken
sein	gehören/kommen
Das Buch steht im Regal.	Stellst du das Buch ins Regal?

3 Adjektive

3.1 Adjektivdeklination

3.1.1 Adjektivdeklination: unbestimmter Artikel

		Nominativ		Akkusativ		Dativ	
Singular	maskulin	ein	großer Wecker	einen	großen Wecker	einem	großen Wecker
	neutral	ein	großes Radio	ein	großes Radio	einem	großen Radio
	feminin	eine	große Lampe	eine	große Lampe	einer	großen Lampe
Plural		–	große Lampen	–	große Lampen	–	großen Lampen

auch so: kein, keine, keinen, keinem, keiner; ⚠ *aber:* keine großen Lampen

3.1.2 Adjektivdeklination: bestimmter Artikel

		Nominativ		Akkusativ		Dativ	
Singular	maskulin	der	große Wecker	den	großen Wecker	dem	großen Wecker
	neutral	das	große Radio	das	große Radio	dem	großen Radio
	feminin	die	große Lampe	die	große Lampe	der	großen Lampe
Plural		die	großen Lampen	die	großen Lampen	den	großen Lampen

3.1.3 Adjektivdeklination: ohne Artikel

		Nominativ		Akkusativ		Dativ	
Singular	maskulin	–	großer Wecker	–	großen Wecker	–	großem Wecker
	neutral	–	großes Radio	–	großes Radio	–	großem Radio
	feminin	–	große Lampe	–	große Lampe	–	großer Lampe
Plural		–	große Lampen	–	große Lampen	–	großen Lampen

3.2 Komparation

Positiv	Komparativ	Superlativ	
schön	schöner	am schönsten	
interessant	interessan*t*er	am interessan*t*esten	-d/-t + esten
lang	länger	am längsten	
⚠ groß	größer	am größten	
gesund	gesünder	am gesündesten	

Vergleichspartikel: *als* und *wie*

schöner **als**	Ich finde die Ohrringe schöner als die Kette.
so wichtig **wie**	Meine Freizeit ist mir genauso wichtig wie mein Beruf.

4 Adverbien

4.1 Direktional-Adverbien

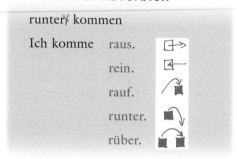

runter kommen

Ich komme raus.

rein.

rauf.

runter.

rüber.

4.2 Präpositional-Adverbien

Verb mit Präposition	Präpositional-Adverb	Fragewort	da/wo + r + Vokal
(sich) erinnern an	daran	Woran ...?	daran / woran
Lust haben auf	darauf	Worauf ...?	
sich interessieren für	dafür	Wofür ...?	
sich ärgern über	darüber	Worüber ...?	
sich kümmern um	darum	Worum ...?	
träumen von	davon	Wovon ...?	

Ich habe keine Lust auf Gymnastik. → Ich habe keine Lust darauf. – Worauf hast du dann Lust?

5 Präpositionen

5.1 lokale Präpositionen

5.1.1 Wechselpräpositionen

		Wo? + Dativ	Wohin? + Akkusativ
		auf/unter ...	auf/unter ...
Singular	maskulin	dem Tisch	den Tisch
	neutral	dem Sofa	das Sofa
	feminin	der Tasche	die Tasche
Plural		den Stühlen	die Stühle
		Das Buch liegt auf dem Tisch.	Ich lege das Buch auf den Tisch.

auch so: an, hinter, in, neben, über, vor, zwischen

5.1.2 lokale Präpositionen mit Akkusativ

durch	durch den Park, durch das Zentrum
	Wir müssen direkt durch das Zentrum fahren.
... entlang	das Ufer entlang, die Straße entlang
	Nach der Brücke fahren wir das Ufer entlang.
über	über den Platz, über die Brücke
	Und jetzt geradeaus über die Brücke.
um ... (herum)	um das Zentrum (herum), um die Stadt (herum)
	Wir fahren um das Zentrum herum.

5.1.3 lokale Präposition mit Dativ

bis zu	bis zum Bahnhof, bis zur Kreuzung *Du fährst bis zur nächsten Kreuzung.*
an … vorbei	am Mozartplatz vorbei, an der Kirche vorbei *Da kommen wir übrigens auch am Mozartplatz vorbei.*
gegenüber	gegenüber dem Kino, gegenüber der Kirche *Die nächste Tankstelle ist bei uns zu Hause, gegenüber der Kirche.*
bei	beim Arzt, bei ihrem Freund, bei ihren Eltern *Sie lebt noch bei ihren Eltern.*

5.1.4 lokale Präpositionen auf die Frage *Woher?*

Woher?		
Woher kommt Frau Graf?	aus + Dativ	von + Dativ
Sie kommt …	aus dem Supermarkt aus dem Haus aus der Post	vom Arzt von ihrem Enkelkind von der Ärztin

5.1.5 lokale Präpositionen auf die Frage *Wo? – Wohin?*

	Wo? – Dativ	Wohin? – Akkusativ
an	am Atlantik am Meer an der Küste	an den Atlantik ans Meer an die Küste
auf	auf dem Land auf der Insel	aufs Land auf die Insel
in	im Schwarzwald im Gebirge in den Bergen	in den Schwarzwald ins Gebirge in die Berge

5.2 temporale Präpositionen

von … an (+ Dat.)	von September an, von Montag an *Von September an fährt die Fähre nicht mehr täglich.*
über (+ Akk.)	über vier Stunden, über zwei Monate *Hanna hat über vier Stunden Aufenthalt.*

5.3 modale Präpositionen

mit (+ Dat.)	mit 11, mit 40 *Mit 11 wollte ich Tierarzt werden.*
ohne (+ Akk.)	ohne einen Freund *Ich fahre ohne meinen Freund weg.*
als	als Kind, als Jugendlicher *Als Kind wollte ich Pilot werden.*
von (+ Dat.)	von meinem Freund, von meiner Freundin *Den Gutschein habe ich von meinem Freund bekommen.*
aus (+ Dat.)	aus Holz, Metall, Glas *Der Tisch ist aus Holz.*

6 Satz

6.1 Satzverbindungen: Hauptsatz + Nebensatz: *weil, wenn, dass*

Hauptsatz vor dem Nebensatz

		Konjunktion		Ende
weil	Maria kommt nach Deutschland, Warum ist er müde?	weil Weil	sie Freunde in Deutschland er die ganze Nacht nicht	hat. geschlafen hat.
wenn	Sie können immer zu mir kommen,	wenn	Sie Probleme	haben.
dass	Es ist wichtig,	dass	man eine gute Ausbildung	hat.

Nebensatz vor dem Hauptsatz

> Wenn Sie Probleme haben, (dann) können Sie immer zu mir kommen.

6.2 Satzverbindungen: Hauptsatz + Hauptsatz: *trotzdem, deshalb*

			Position 2	
trotzdem	Das Wetter ist schlecht.	Trotzdem Sie	fahren fahren	sie für zwei Tage weg. trotzdem für zwei Tage weg.
deshalb	Oft muss man plötzlich bremsen.	Deshalb Die Bremsen	müssen müssen	die Bremsen funktionieren. deshalb funktionieren.

6.3 Satzverbindungen: Indirekte Fragen

mit Fragepronomen

	Fragepronomen		Ende
Können Sie mir sagen, Wissen Sie,	was	das	heißt?
	wann	die Banken	geöffnet haben?
	wo	man Geld	abheben kann?

mit Ja-/Nein-Fragen

	ob		Ende
Können Sie nachsehen,	ob	die Zahl in Ihrem Computer	ist?
	ob	Sie meine neue Adresse	haben?

6.4 Syntax: Stellung der Objekte

	Dativ(pronomen)	Akkusativ
Du schenkst	ihr	*einen Kuchen.*
Du gibst	Tante Erika	*das Bild.*

	Akkusativpronomen	Dativpronomen
Du gibst	*es*	ihr.

Nomen	→ Adjektiv
die Pause	pausenlos (= ohne Pause)
der Sturm	stürmisch
das Eis	eisig

Verb	→ Nomen
befragen	die Befragung

Adjektiv (positiv)	→ Adjektiv (negativ)
angenehm	unangenehm

Verb	→ Adjektiv
erkennen	erkennbar

Nomen: Diminutiv

die Schwester	→ das Schwesterchen
das Haus	→ das Häuschen

Wortliste

Die alphabetische Wortliste enthält die neuen Wörter dieses Buches mit Angabe der Seiten, auf denen sie zuerst vorkommen. Wörter, die für die Prüfungen *Start Deutsch 1/2* und *Zertifikat Deutsch* nicht verlangt werden, sind kursiv gedruckt. Bei allen Wörtern ist der Wortakzent gekennzeichnet: Ein Punkt (a̱) heißt kurzer Vokal, ein Unterstrich (a̲) heißt langer Vokal. Nomen mit der Angabe (Sg) verwendet man nicht oder nur selten im Plural. Nomen mit der Angabe (Pl) verwendet man nicht oder nur selten im Singular. Trennbare Verben sind durch einen Punkt nach der Vorsilbe gekennzeichnet (ab·biegen).

ab·biegen 41, 45, 79
ab·bilden 44
ab·buchen 64
die Abenteuergruppe, -n 54
abenteuerlustig 54
der Abenteuerurlaub, -e AB 131
der Abenteurer, – 54
die Abgabe, -n AB 163
ab·heben 58, 59, 60
das Abschiedsgedicht, -e 76
das Abschiedswort, -e 76
ab·schneiden AB 163
ab·springen 56
der Abstand (Sg) 46
ab·stürzen 56
der Abteilungsleiter, – AB 82
ab·warten AB 145
ab·wechseln (sich) AB 118
Ade 76, 77
Adieu 77
die Adjektivdeklination, -en 25, 35, 55
aktiv 74
akzeptieren 61, 79
Alaska (Sg) 54
alkoholisch 23
der Alptraum, -̈e 64
altmodisch 16
die Altstadt, -̈e AB 114
das Altstadtparkhaus, -̈er AB 114
der Anfangszeitpunkt, -e AB 166
der Angebotsprospekt, -e AB 96
angenehm 33, 35, 72
an·klicken 31
an·nehmen 15, 79
an·schalten 33
die Anschrift, -en AB 165
an·sprechen 72
anstrengend 50, 74
die Antiquität, -en AB 162

der Antrag, -̈e AB 141
das Antwortkärtchen, – 60
das Apartmenthotel, -s AB 130
der Apfelwein (Sg) 53
der Arbeitskollege, -n 72, 75
das Argument, -e 57
der Atlantik (Sg) 48, 50, 55
die Atlantikküste (Sg) AB 125
Auf Wiederluege 76
auf·bauen 49
auf·brechen AB 131
der Aufenthalt, -e 51, 52, 55
auf·fordern 34
das Aufgabenblatt, -̈er AB 88
auf·geben AB 140
auf·hören 63, 76, 78
der Aufkleber, – 28
die Aufmerksamkeit, -en 73
auf·nehmen 23
auf·steigen 57
auf·wachsen 70, 75, 79
die Au-pair-Vermittlung, -en AB 164
der Au-pair-Vertrag, -̈e AB 165
aus aller Welt 7
aus·denken (sich) 17
auseinander gehen 77
die Ausflugsmöglichkeit, -en AB 130
das Ausflugsziel, -e AB 130
die Ausgabe, -n 17
ausgebucht sein 52, 55
die Aushilfe, -n 51
aus·kennen (sich) 62, 65
der Ausländer, – 47
aus·schneiden AB 105
außerhalb 14, 46, 53
äußern 15, 65, 78
die Äußerung, -en 25
die Aussicht, -en 43, 51
die Ausstellung, -en 13, 15
die Auswahl (Sg) 22
aus·weichen 43
die Ausweispapiere (Pl) 64
auswendig lernen 59
aus·werten 78
die Auswertung, -en 78
aus·zahlen 62, 65
die Autobahn, -en 43, 46
der Autofahrer, – 17, 43, 44
der Autor, -en 13, 57
der Autoreifen, – AB 150
der Babysitter, – AB 164
der Badestrand, -̈e 51
die Bahn, -en 33
das Bahngleis, -e 41
das Ballett (Sg) AB 162
der Ballon, -s/-e 56, 57
die Ballonfahrt, -en 56, 57
der Ballonflug, -̈e 57
die Bankleitzahl, -en 61
der Bankmitarbeiter, – 64

der Bankschalter, – 59, 60
die Bankverbindung, -en 61, 64
bar 61, 65
der Bär, -en 72
das Bärchen, – 72
das Bargeld (Sg) 61, 64, 66
die Batterie, -n 38
das Bauernbrot, -e 70
der Bauernschrank, -̈e AB 151
die Baustelle, -n 70
der Bau, -ten AB 89
der Beamte, -n 74
beantragen 32
beeilen (sich) 52
die Beerdigung, -en AB 140
befragen 34, 35, 72
die Befragung, -en 34, 35, 72
befreundet AB 166
begeistern AB 165
begleiten AB 99
das Begrüßungswort, -e 76
die Behinderteneinrichtung, -en AB 165
das Benzin (Sg) 38
beobachten 49, 51
bequem 22
beraten AB 165
der Berater, – 63
der Bereich, -e 72
der Berufspilot, -en 57
der Berufswunsch, -̈e AB 166
der Berufszweig, -e AB 166
beruhigen AB 163
besorgen 31
die Besorgung, -en AB 109
beste Grüße AB 119
das Besteck, -e 20
bestimmter Artikel 35
die Bestimmung, -en AB 164
betont AB 85
die Bettwäsche (Sg) 51
die Bevölkerung (Sg) AB 162
bewährt AB 165
bewegt 26
der Bewerber, – AB 166
die Beziehung, -en 34
die Bibel, -n 16
der Biergarten, -̈ 64
der Bildschirm, -e 21, 31
die Bildschirmgröße, -n AB 96
der Billigflug, -̈e 52
bis bald 53, 55
Bitteschön (Sg) 34
das Blatt, -̈er 11
blockieren 43
blond 54
bloß AB 134
die Bluesmusik (Sg) 26
das Blut (Sg) 46
böig 43
Brasilien (Sg) AB 84
die Bremse, -n 42, 45, 78
bremsen 42, 44, 78
der Bremsweg, -e 42

die Briefsendung, -en 30
die Brücke, -n 41, 45
die Bundeshauptstadt (Sg) AB 164
der Bürgermeister, – 43
die Bürokommunikation (Sg) 31
die Busreise, -n 52
der Bußgeldkatalog, -e 47
das Bussi, -s AB 113
das Butterbrot, -e 64
die Cafeteria, -s/-ien AB 115
der Campingplatz, -̈e 51, 78
der Campingurlaub, -e AB 144
die Chance, -n 63
das Chatforum, -foren AB 140
die Chaussee, -n AB 130
das Chefbüro, -s AB 161
China (Sg) 26
der Club, -s AB 160
der Cluburlaub, -e AB 165
der Comic, -s 71
die Computerabteilung, -en AB 134
der Computerraum, -̈e AB 161
der Computerspezialist, -en AB 168
die Couch, -s/-en 21
die Countrymusik (Sg) 26
dabei haben 42
dabei sein 32
dafür – dagegen sein 54, 55
damals 24
das Dampfmaschinchen, – 72
Dänemark (Sg) 53
dänisch 47
dankbar 72, 75
die Daten (Pl) 79
dazu gehören 73
der Deckel, – 22
der Deckelöffner, – 22
die Definition, -en 16, 17
der Deich, -e 53
deutlich 34
deutschlandweit 52
dicht 43, 78
das Dickerchen, – 72
der Dienstbereich, -e 13
der Diesel (Sg) 38
digital 31
die Digitalkamera, -s AB 106
der Direktor, -en AB 109
die Diskothek, -en AB 89
diverse AB 165
die Doktorarbeit, -en AB 163
der Donnerstagabend, -e AB 87
die Doppelseite, -n 76
doppelt 34
das Dorf, -̈er 70, 79
der Drache, -n 24, 72
das Drehbuch, -̈er 10
dreifach 74
der Dschungel, – 50, 54

Unregelmäßige Verben

backen, er/sie backt, hat gebacken
biegen, er/sie biegt, hat/ist gebogen
bitten, er/sie bittet, hat gebeten
braten, du brätst, er/sie brät, hat gebraten
brechen, du brichst, er/sie bricht, hat gebrochen
empfehlen, du empfiehlst, er/sie empfiehlt, hat empfohlen
empfinden, er/sie empfindet, hat empfunden
entscheiden, er/sie entscheidet, hat entschieden
fallen, du fällst, er/sie fällt, ist gefallen
fressen, du frisst, er/sie frisst, hat gefressen
gelten, du giltst, er/sie gilt, hat gegolten
gewinnen, er/sie gewinnt, hat gewonnen
gießen, er/sie gießt, hat gegossen
greifen, er/sie greift, hat gegriffen
halten, du hältst, er/sie hält, hat gehalten
hängen, er/sie hängt, hat/ist gehangen
heben, er/sie hebt, hat gehoben
klingen, er/sie klingt, hat geklungen
legen, er/sie legt, ist gelegen
reiben, er/sie reibt, hat gerieben
schlagen, du schlägst, er/sie schlägt, hat geschlagen
schneiden, er/sie schneidet, hat geschnitten
sinken, er/sie sinkt, ist gesunken
springen, er/sie springt, ist gesprungen
sterben, du stirbst, er/sie stirbt, ist gestorben
streichen, er/sie streicht, hat gestrichen
streiten, er/sie streitet, hat gestritten
übertreiben, er/sie übertreibt, hat übertrieben
überweisen, er/sie überweist, hat überwiesen
vermeiden, er/sie vermeidet, hat vermieden
verzeihen, er/sie verzeiht, hat verziehen
weichen, er/sie weicht, ist gewichen
werfen, du wirfst, er/sie wirft, hat geworfen
wiegen, er/sie wiegt, hat gewogen

Quellenverzeichnis

U1: © Alexander Keller

S. 13: Anzeige „Leonce und Lena" mit freundlicher Genehmigung des Berliner Ensembles

S. 17: „Sonntagsbraten"© Interfoto/IFPA, „Sonntagskleid" © TV-yesterday, „Sonntagsspaziergang" © René Maltête/Voller Ernst

S. 23: 1, 3 und 4 © MHV-Archiv, 2 © MEV/MHV

S. 24: Karlheinz Wiese © MEV/MHV

S. 26/27: Mundharmonika „Seductora" © Hohner Musikinstrumente GmbH & Co. KG

S. 30: Deutsch Post/ Pressefotos 2001: A,C,E © Deutsche Post; D © Ludger Wunsch; E © CDF

S. 38: Führerschein © Archiv Bundesdruckerei GmbH

S. 41: B2: Gisela Specht, Weßling

S. 43: A © Berlin Picture Gate/picture-alliance; B,C,D © MHV/MEV, E © MHV/Dynamic Graphics

S. 47: Flensburg © Flensburg Fjord Tourismus GmbH; Hamburg © Hamburg Tourismus GmbH; Hannover © Hannover Tourismus Service; Frankfurt © Goesta Ruehl, Kronberg

S. 51: Schleswig-Holstein © Ostseebäderverband; Salzkammergut © Österreichwerbung/Jezierzanski; Mecklenburger Seenplatte © Naturpark Nossentiner; Luzern © MHV/ MEV

S. 53: oben © Tourismus + Congress GmbH Frankfurt am Main; Mitte © Ferienhaus Carmen; unten © Österreich Werbung/Wiesenhofer

S. 56/57: alle Fotos © www.ammersee-ballonfahrten.de/ Jürgen Fels

S. 58: A © DeTeCardService; B © Mastercard; D © Karstadt Warenhaus AG

S. 63: Paul Sellers © MHV/MEV

S. 74: Frau Schulze © Isabel Krämer-Kienle; Theaterszene: Seniorentheater München © Fritz Letsch

S. 77: „Auf Wiederseh'n mein Fräulein", Musik: Nikolaus Brodszky, Text: Fritz Rotter © 1935 by Wiener Bohème Verlag GmbH (BMG Music Publishing Germany), München. Alle Rechte für die Welt.; „Junge, komm bald wieder", Musik: Lotar Olias, Text: Walter Rothenburg © Sikorski Musikverlage, Hamburg; „Sag beim Abschied leise Servus", Musik: Peter Kreuder, Text: Harry Hilm/ Hans Lengsfelder © 1936 by Edition Meisel GmbH; „Gute Nacht, Freunde", Text und Musik: Reinhard Mey , mit freundlicher Genehmigung von Edition Reinhard Mey, Maikäfer Musik Verlagsgesellschaft mbH, Berlin

S. 86: beide Fotos © MHV-Archiv

S. 99: Gitarre © Gitarrenatelier Dieter Hopf; Kinderschuh © Heinrich Deichmann-Schuhe GmbH & Co. KG; Uhr © MHV-Archiv

S. 127: a: MHV/MEV; b: Campingplatz Lambach, 83358 Lambach, Chiemsee; c: Strandhotel Miramar, Niendorf/Ostsee

S. 130: a: „Rheinreise" aus: Frederik Vahle, *Der Himmel fiel aus allen Wolken*, Beltz & Gelberg, Verlagsgruppe Beltz, Weinheim und Basel 1995; b: „Die Ameisen" aus: Joachim Ringelnatz, *Das Gesamtwerk in sieben Bänden*, Diogenes Verlag AG Zürich

S. 139: Gedicht aus: Helme Heine, *Gruß und Kuss*, Gertraud Middelhauve Verlag, Köln, 1988 (mit freundlicher Genehmigung des Autors wurden die Präteritumformen der Verben ins Präsens gesetzt und eine Zeile leicht geändert)

S. 147: alle Fotos © MHV-Archiv

Franz Specht, Weßling: S.14, S. 21, S. 24 (Figuren) S. 38, S. 46 (alle Fotos), S. 52

Alle anderen Fotos: Alexander Keller, München